A MONJA
E O POETA

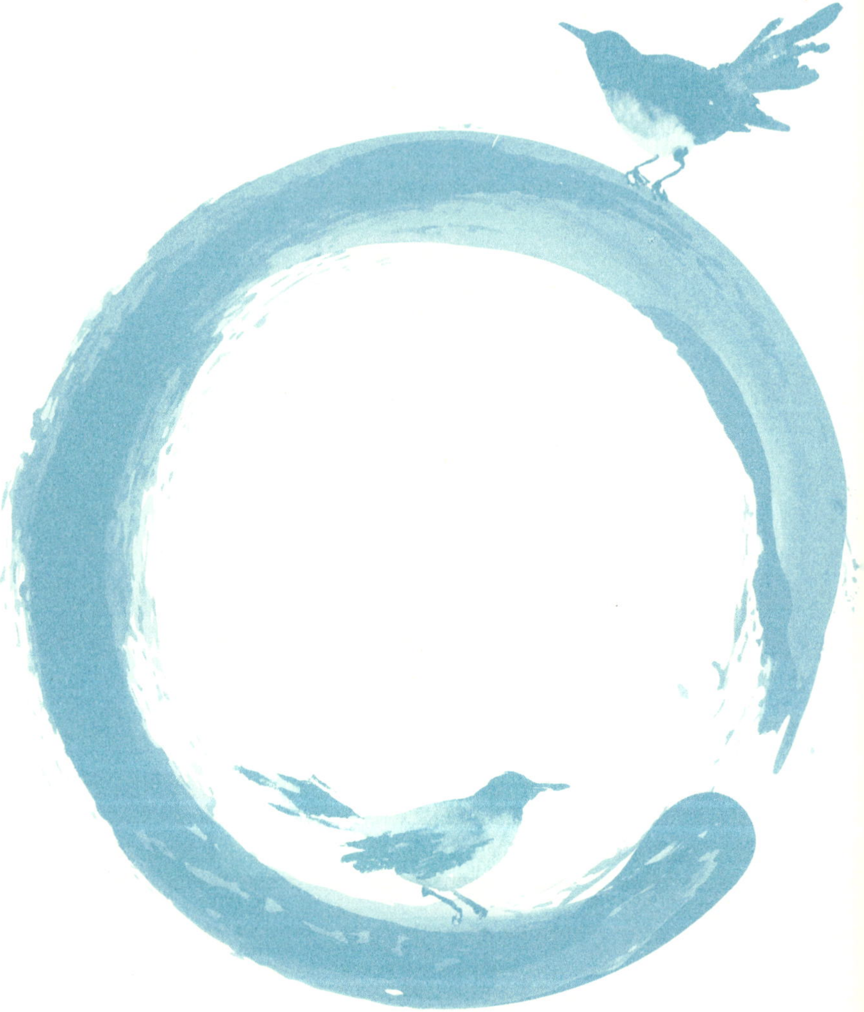

Destaques de nosso catálogo

www.sextante.com.br

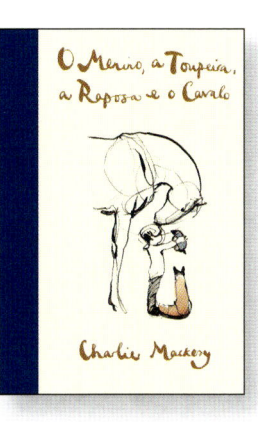

SEXTANTE

2 milhões de livros vendidos no mundo

3 milhões de livros vendidos no mundo

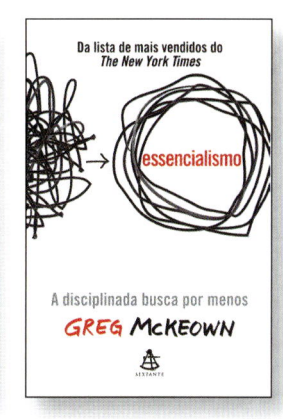

350 mil livros vendidos no Brasil

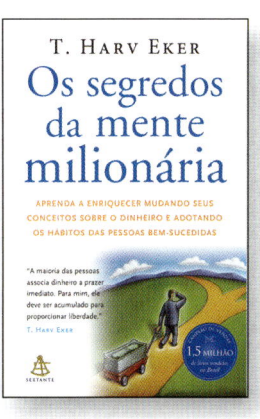

2,2 milhões de livros vendidos no Brasil

16 milhões de livros vendidos no mundo

200 mil livros vendidos no Brasil

A morte é um dia que vale a pena viver
300 mil livros vendidos no Brasil

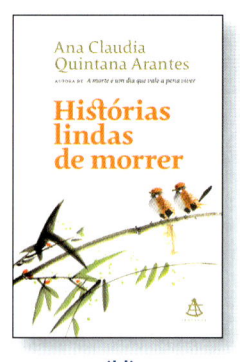

Histórias lindas de morrer
50 mil livros vendidos no Brasil

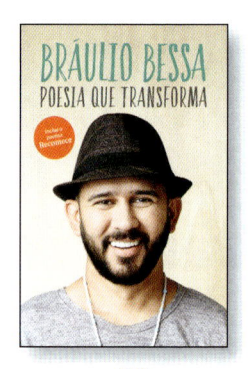

Bráulio Bessa - Poesia que transforma
400 mil livros vendidos no Brasil

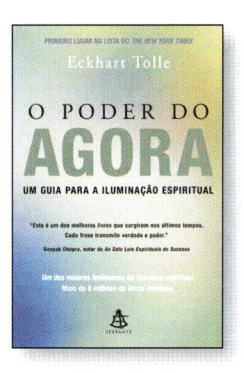

O Poder do Agora
1,2 milhão de livros vendidos no Brasil

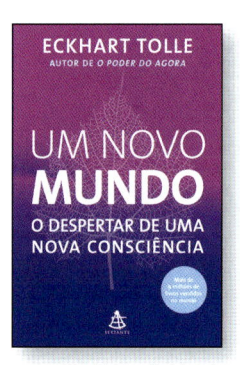

Um Novo Mundo - O despertar de uma nova consciência
250 mil livros vendidos no Brasil

Peça e será atendido
340 mil livros vendidos no Brasil

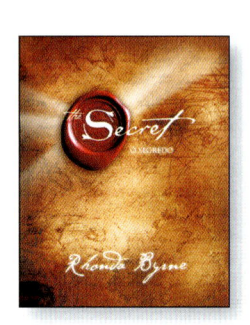

The Secret - O Segredo
3 milhões de livros vendidos no Brasil

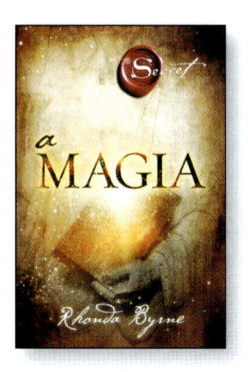

A Magia
240 mil livros vendidos no Brasil

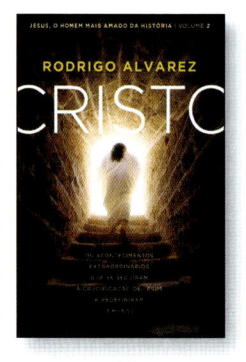

Cristo
30 mil livros vendidos no Brasil

A MONJA
E O POETA

MONJA COEN &
ALLAN DIAS CASTRO

SEXTANTE

Copyright © 2021 por Monja Coen e Allan Dias Castro

Todos os direitos reservados. Nenhuma parte deste livro pode ser utilizada ou reproduzida sob quaisquer meios existentes sem autorização por escrito dos editores.

Página 106: Carlos Drummond de Andrade. Trecho de "Os ombros suportam o mundo", In: *O sentimento do mundo*. São Paulo: Círculo do livro, s/d.

coordenação editorial Virginie Leite
preparo de originais Rafaella Lemos
revisão Ana Grillo e Midori Hatai
projeto gráfico, diagramação e capa Natali Nabekura
imagens do miolo Shutterstock
fotos de capa André Genzo Spinola e Castro (Monja Coen), Leo Aversa (Allan Dias Castro)
impressão e acabamento Pancrom Indústria Gráfica Ltda.

CIP-BRASIL. CATALOGAÇÃO NA PUBLICAÇÃO
SINDICATO NACIONAL DOS EDITORES DE LIVROS, RJ

C622m

    Coen, Monja, 1947-
        A monja e o poeta / Monja Coen, Allan Dias Castro. - 1. ed. - Rio de Janeiro : Sextante, 2021.
        192 p. ; 21 cm.

        ISBN 978-65-5564-209-4

        1. Poesia brasileira. 2. Vida espiritual - Zen-budismo. 3. Meditação - Budismo. I. Castro, Allan Dias. II. Título.

21-71893   CDD: 869.1
                                                          CDU: 869.1

Leandra Felix da Cruz Candido - Bibliotecária - CRB-7/6135

Todos os direitos reservados, no Brasil, por
GMT Editores Ltda.
Rua Voluntários da Pátria, 45 – Gr. 1.404 – Botafogo
22270-000 – Rio de Janeiro – RJ
Tel.: (21) 2538-4100 – Fax: (21) 2286-9244
E-mail: atendimento@sextante.com.br
www.sextante.com.br

Para Carmen Dias Castro
A.D.C

Dedico a todos que procuram o caminho,
a verdade e o despertar
M.C.

Sumário

- 8   Apresentação
- 18   Agora
- 32   Mudança
- 48   Ter x ser
- 64   Amor
- 80   Ego
- 96   Perdão
- 110   Medo
- 124   Resiliência
- 140   Gratidão
- 154   Raiva
- 170   Felicidade
- 184   Agradecimentos

Apresentação

"Cada encontro uma mudança."

@**monjacoen**

A BUSCA DA SIMPLICIDADE
Allan Dias Castro

UMA SIMPLICIDADE DIFÍCIL DE ALCANÇAR. Foi esse o diferencial na fala da Monja Coen que me fez buscar suas palestras na internet e em seguida seus livros publicados. Quanto mais eu consumia seu conteúdo, maior era a sensação de proximidade com aquela figura tão perspicaz, embora nunca houvéssemos trocado nem uma palavra.

Eu só fui conhecê-la pessoalmente anos depois, em dezembro de 2019, durante um retiro promovido pelo Instituto Hermógenes, em Mendes, no estado do Rio de Janeiro. Fui convidado pelo Thiago Leão, meu professor de yoga e querido amigo, a falar alguns poemas durante esse encontro que contou com a presença da Monja. Durante os três dias de atividades, percebi que o poder de conexão que ela tem nos seus vídeos se intensifica presencialmente, pois aquela simplicidade que enxergo em suas palavras a acompanha também em seus gestos. Passei a admirá-la ainda mais.

Por coincidência, voltamos de Mendes até o Rio de Janeiro no mesmo carro, e pelo meu hábito de ouvir mais do que falar (que é uma verdadeira dádiva nesses momentos de troca com pessoas que emanam conhecimento), pude usufruir de mais algumas horas de inspiração com a presença da Monja. Confesso que já nesse momento nasceu a ideia de quem sabe um dia fazermos uma parceria literária. Acabei não tocando no assunto, mas voltei para casa com a sensação de que nos encontraríamos novamente.

Veio o ano de 2020, pandemia, isolamento, planos interrompidos. Em abril, perdi meu pai. A sensação de urgência trazida pela finitude me visitou com força: a vida não dura para sempre, é durante. Eu precisava superar esse corte brusco com o passado que uma perda dessa magnitude traz buscando um ponto de vista que contemplasse o privilégio que é estar vivo. Certamente esse caminho foi facilitado pelo fato de sentimentos como a dor, a saudade e a incerteza estarem misturados antagonicamente à beleza de uma vida chegando – minha esposa, Ana, estava grávida da nossa filha, Serena. Eu não tinha outra opção a não ser transpor o luto focando em continuidade.

A vontade de um novo livro surgiu desse ímpeto de, mais do que estar, me sentir vivo novamente ao dividir com as pessoas meus textos e poemas. Sim, tudo que escrevo é a resposta para a pergunta: "O que eu tenho a oferecer?" Foi então que o desejo de convidar a Monja Coen para oferecermos algo juntos aos nossos leitores pareceu mais oportuno do que nunca.

Aquela mesma sensação de finitude que me fez perceber que cada dia é uma oportunidade também fez aflorar a clareza de que não podemos deixar algo bom sufocado pela dúvida, afinal, a chance que a gente tem é essa. Lembro que no dia 6 de junho de 2020 escrevi para a Monja sugerindo iniciarmos essa parceria. Já no dia 7, obtive retorno positivo. Uma felicidade indescritível me abraçou. Porém havia uma fila de livros a serem escritos pela Monja, já contratados. Mas não desanimei. Percebi nesse processo uma boa oportunidade para desfocar minha ansiedade que estava a mil com a chegada próxima da minha filha.

Assim, a vida foi seguindo seu fluxo. Serena chegou cheia de saúde e sorrisos. Os meses foram passando, a Monja seguiu cumprindo sua agenda, acertamos a ideia e as datas com a Sextante, e já em fevereiro de 2021 tivemos um encontro virtual para, enfim, iniciarmos nossa escrita. Lá estava a Monja, com todo o seu conhecimento e a sua generosidade, agora ao meu lado, trazendo vivências pessoais e ensinamentos tão valiosos. Todas as vezes que sua vasta experiência me intimidou, foquei em não comparar trajetórias e me ative ao que faço, que é poesia.

Segui botando em prática o costume de escrever o que sinto, buscando na sinceridade meu único norte e na simplicidade (inspirada naquela que admiro na Monja) o meu caminho para chegar até os leitores e dividir o que acredito. A cada troca de e-mails uma alegria imensa foi tomando conta de mim por ver algo tão verdadeiro ganhando vida.

Os tópicos abordados andam lado a lado com os sentimentos que nos visitaram com mais intensidade nesse período de quarentena, mas não se limitam a essa fase, porque são assuntos ligados à nossa essência. Os 11 temas e 22 poemas aqui selecionados são, portanto, atemporais.

Escolhi 12 poesias inéditas e 10 compiladas dos meus livros anteriores para ganharem vida nova a partir dos comentários da Monja. Após cada poema há um texto em que conto a fase específica da minha vida em que o criei ou algum fato que serviu como ponto de partida, contextualizando os versos e revelando de onde veio a inspiração para escrevê-los. E assim seguimos a cada página, entre frases, poesias, inspirações, citações e histórias bastante pessoais.

A ideia foi trazer não tutoriais de sobrevivência em meio ao caos ou fórmulas para a felicidade (elas existem?), mas apenas o equilíbrio de quem oferece o que precisa. Pelo fato de não ter ficado estagnado na dor, este livro já me ajudou de várias formas durante seu processo de criação. Posso dizer que fui da tempestade à calmaria enquanto escrevíamos esses textos, sem obviamente estacionar novamente na ilusão de permanência.

Acredito que nenhuma transformação significativa seja fácil, e o ser humano que eu era quando pensei em realizar um livro com a Monja mudou muito durante todo o processo até aqui. É essa possibilidade de se manter em movimento que oferecemos aos leitores.

Em um período de tantas perdas e inseguranças, meu desejo é que as pessoas também encontrem neste livro o abraço que as espera depois do medo. E já que a vida é um mergulho profundo, para que possamos perceber através de palavras e gestos simples a imensidão de estarmos vivos, deixo este convite: vamos mergulhar?

UM TANTO DE VERSO E PROSA
Monja Coen

O jovem de cabelos longos, barba e bigode foi chamado ao palco improvisado em um convento católico, em Mendes, no Rio de Janeiro.

> Era Allan.
> Declamou poesias suas.
> Quais? Não saberia dizer.
> Mas foi um momento mágico e de grande sabedoria.
> Forte, seguro, verdadeiro, sincero.

Nós dois estávamos participando de um encontro de yoga organizado por Thiago Leão, neto do professor Hermógenes. Muitas vezes encontrei Thiago junto ao seu avô. Era o atendente perfeito. Carinhoso e suave, tinha o hábito de tocar meus calcanhares sempre que me cumprimentava – o que me deixava pouco confortável.

Hábitos da Índia, de respeito aos mais velhos, aos professores.

Hoje Thiago é um dos sucessores do professor Hermógenes e cuida do Instituto Hermógenes. Uma vez por ano fazia um retiro em Mendes, e esta era a terceira vez que me convidava.

Alegremente fui.
Entre *asanas* (posturas de yoga), palestras, caminhadas

meditativas, dei algumas instruções sobre o Zen e a meditação. Yoga de Cristo, yoga de Buda.

Famílias participavam com filhos adolescentes e crianças.

Encontro simples e profundo, ocupando quadras de esportes, piscinas, salões de reuniões, a Igreja do Sagrado Coração de Jesus.

E o jovem Allan com poesias existenciais.
Pareciam poemas Zen.
Alegrei-me ao ouvi-lo.
Minha mãe foi poetisa e declamadora. Dava aulas de declamação desde antes de eu nascer. Acostumei-me aos versos sobre a vida, a morte, o amor, os sentidos que podemos dar à existência, os abusos, o racismo e outras questões. Cenário da minha infância e adolescência que me levou a ser jornalista e depois sair pelo mundo à procura da verdade e do caminho.

Vaguei até encontrar o zen-budismo em Los Angeles.

Tornei-me monja, passei doze anos em treinamento no Japão e agora, com 74 anos de idade, aprecio o entardecer de outono, com certa alegria de estar encontrando seres capazes de amar, de escrever, de poetar.

Uma grande alegria poder escrever depois de ler os poemas de Allan. Fomos fazendo os textos, pouco a pouco. Ele me enviava algumas poesias e eu proseava.

Assim construímos face a face este livro.
Allan, órfão de pai, se torna pai.
Aprecia a vida e o amor.
Questiona, cresce e no yoga de Cristo encontra o yoga de Buda.

Estamos juntos.

Transmitindo um ao outro e de nós a todos vocês um tanto de verso e prosa para refletir e viver com mais plenitude.

Que todos os seres possam despertar.

Mãos em prece.

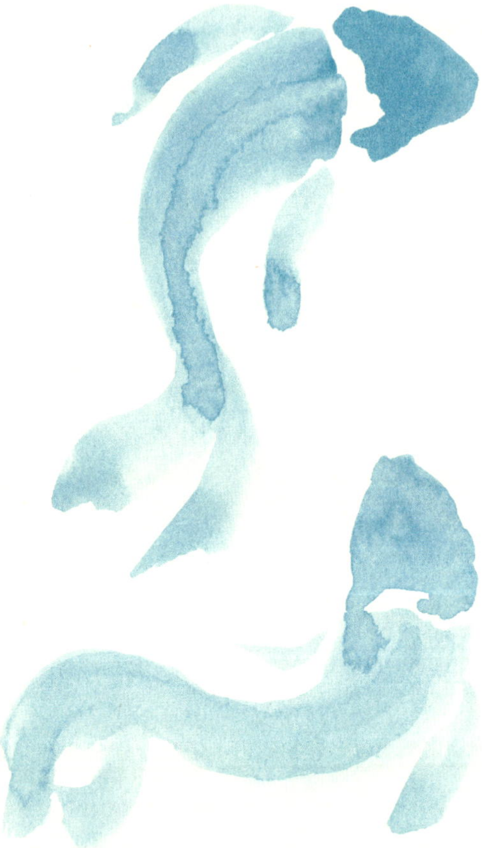

NÃO SE SINTA DERROTADO POR ESTAR SE SENTINDO PERDIDO. NOSSOS PONTOS DE ENCONTRO SÃO OS MESMOS SENTIMENTOS. VOCÊ NÃO PRECISA RESOLVER TUDO SOZINHO.

@allandiascastro

AGORA

"Se não formos capazes de apreciar este instante, não seremos capazes de apreciar nenhum outro momento."

@**monjacoen**

SÓ POR HOJE
Allan Dias Castro

Eu quero trocar a ansiedade de tentar viver cada dia como se fosse o último pela tranquilidade de viver só por hoje.

Viver só por hoje
Me fez parar de desperdiçar o tempo de um sorriso
Me perguntando quando a felicidade vai chegar.
Viver só por hoje
É não adiar a oportunidade que cada dia nos dá.

Vivendo só por hoje,
Sem desespero,
Cada dia não é o último,
É o primeiro.

Quando a gente quer falar que uma pessoa é especial,
Mas fica à espera da data ideal,
É como se, para viver o presente,
Precisasse esperar o Natal.

A saudade não morre de velha,
Mas se mata num dia: hoje.
Não quero ter que descobrir uma doença rara
Para só então me curar da monotonia.

Só por hoje vou tomar uma atitude,
Me tornar uma pessoa melhor,
Seja lá o que isso signifique.
Me livrar do peso de anos
Admitindo um erro, problema,
Pedindo desculpa, pedindo ajuda,
Ou ajudando a mim mesmo,
Trocando a mania de dizer sim sem vontade
Pela sinceridade.

Quem vive à espera de um final feliz
Adia a felicidade que sempre quis.
O agora é assim: ser feliz, e fim.

Essa consciência
Nos traz de volta pra casa,
Porque, às vezes, é a urgência
Que nos consome e nos atrasa.

Já temi correr o risco
De morrer de velho
Sem ter vivido o bastante,
Mas entendi que a vida
Não é depois nem foi antes.

A vida não dura para sempre, é durante.
Quem tem apenas um instante
Para mudar uma vida inteira
Já tem tempo bastante.

É preciso dizer "Chega!"
Para chegar ao dia de hoje
Deixando, a cada passo, o passado,
Pois quem passa a vida planejando
Não tem tempo de viver os planos.

A gente só precisa lembrar disto agora
E não esquecer amanhã:
Vamos viver só por hoje
Para que seja por muitos anos.

* * *

LIVROS SALVAM VIDAS – LITERALMENTE. Um amigo muito próximo me contou que ganhou uma segunda chance ao ter acesso a um exemplar de *Os doze passos*, obra escrita por um dos cofundadores dos Alcoólicos Anônimos. Através dessa leitura transformada em prática, meu amigo alcançou e manteve sua sobriedade, antes mesmo de eu nascer. Por isso tenho lembranças da infância e da adolescência, de acompanhá-lo em alguns eventos e reuniões do grupo de Alcoólicos Anônimos que passara a frequentar.

Guardo com um respeito imenso todo o aprendizado que essas visitas esporádicas me proporcionaram. Mesmo sem entender direito os conceitos e as experiências compartilhadas em cada depoimento que ouvia, desde muito novo eu pude perceber a potência de um ambiente onde se pratica a escuta livre de julgamento. A coragem de cada um que chegava à frente, se apresentava e abria o coração diante dos demais me motiva até hoje a acreditar no poder de transformação que a intenção baseada na sinceridade possui.

E quanto tempo dura esse entusiasmo de se manter em

constante evolução pessoal? Foi lá que percebi que o "para sempre" nos visita a cada 24 horas. Já na primeira reunião que fui como acompanhante, fui introduzido à expressão "só por hoje", que mais tarde me faria perceber quantos ciclos se encerram e quantas possibilidades de transformação para uma vida inteira cabem dentro de apenas uma decisão: ir um dia de cada vez. Essa forma de encarar as situações me fez perceber que a finitude não é necessariamente uma ameaça, mas sim uma oportunidade para que a gente não precise estar sempre esperando uma data certa para ser feliz. A chance é agora.

O poema "Só por hoje" é totalmente inspirado nessas vivências. Não deixa de ser uma homenagem ao meu amigo, feita com o intuito de manter viva sua conquista de ter permanecido sóbrio, além de reconhecer toda a sua disposição em se manter em constante movimento rumo à serenidade até o fim da vida. É com muita gratidão e orgulho que "herdei" seu exemplar de *Os doze passos*, que guardo em um local de destaque na minha biblioteca de casa para que esteja sempre visível, me mantendo atento aos seus ensinamentos.

A contundência de cada um dos doze passos é capaz de transformar positivamente as pessoas, mesmo fora do A.A. O livro funciona como um portal para o presente, amenizando minha ansiedade em resolver problemas que ainda não existem e me encorajando a tomar atitudes para resolver o que posso modificar hoje – um dia de cada vez.

TUDO ZEN
CADA DIA É O QUE É
Monja Coen

Nichi-nichi kore kojitsu
Nichi-nichi kore nichi

Há um provérbio conhecido no Japão:
Nichi-nichi kore kojitsu
Dia, dia, este excelente dia.

Um mestre Zen comentou:
Nichi-nichi kore nichi.
Dia, dia, este dia.

    Melhor. Cada dia é o que é. Podemos atravessar momentos de alegria, euforia, tristeza, dor, luto, nascimento, morte. Tudo é possível. O bem e o mal, o certo e o errado. Tudo faz parte e tudo está mudando. Tudo Zen e a qualquer momento pode mudar. O desmoronar também é o Zen.

    Cada instante assim como é.
    Sem julgamentos nem expectativas e ao mesmo tempo sendo ativistas.
    Ativos transformadores do que é.

    Cada dia é um dia.
Este instante é o que foi e o que virá a ser. É.
Presente. Presença pura.
Futuro se faz agora.

Com altos e baixos, alegrias e tristezas.
Ganhos e perdas, emoções e apatia.
Tudo vale, tudo é. Incessante movimento.

Outra expressão japonesa:
Ichi-go ichi-e.
Não há bis na vida.
Tudo só acontece uma única vez.
Por que não apreciar o agora?

E quando digo agora, já passou.

Perceber que tudo está se transformando incessantemente e que somos essa transformação é o caminho da sabedoria.
Não estamos flutuando separados do planeta Terra, que gira em torno de si mesmo e ao redor do Sol.
Giramos juntos, nos transformamos juntos.
Se não formos capazes de apreciar este instante, não seremos capazes de apreciar nenhum outro momento.

Claro que fazemos planos, escolhas.
Mas, livres de apegos e de aversões, inspiramos e expiramos conscientemente.
Neste momento presente está todo o passado da humanidade e todo o futuro.

Endireite sua coluna vertebral.
Inspire sem esforço.
Quando a caixa torácica se expande, o ar naturalmente entra e a preenche.
Há uma pequenina pausa.

Solte o ar lentamente pela boca. Devagar. Abrindo a glote de forma a fazer um pequeno som de sopro ao sair do ar.

Procure esvaziar os pulmões completamente.

Note que ao final da expiração há uma pequena contração no baixo abdômen. Não force. Ela acontece naturalmente.

Pausa.

Recomece.

Perceba como você pode entrar em equilíbrio apenas respirando conscientemente.

Aprecie, saboreie respirar.

Ser, estar.

Presença pura.

ÁLBUM DE ESTRELAS
Allan Dias Castro

Toda foto é um adeus
Transformado em até breve,
Pois não há tempo que leve
Este eterno nunca mais.

Como estrelas que vão para o céu
Quando morrem a cada dia,
Em um ciclo de nostalgia
À noite tornam-se imortais.

Se a saudade é a lembrança
Que está presa na ampulheta
A cada instante obsoleta,
O tempo insiste em esquecê-la.

Eu procuro sempre o brilho
Nas pessoas, nos lugares.
E para que nada nos separe
Fotografo sua estrela.

* * *

"para onde vão as estrelas quando morrem, se elas já estão no céu?" Essa frase eu escrevi no meu bloco de notas depois de assistir ao nascer do Sol e ver a gradativa despedida das últimas estrelas visíveis no firmamento. Se eu não tivesse mais a chance de presenciar esse espetáculo, a recordação me ajudaria a revisitar o momento, eternizando este "nunca mais".

Eu estava morando na Espanha para finalmente me dedicar a um curso de escrita que havia muito tempo sonhava realizar. Como faltavam poucos dias para a data da minha volta, passei essa noite acordado, numa tentativa de fazer com que aquele período não acabasse, como se eu pudesse viver definitivamente no efêmero.

Sempre tive problemas com despedidas, temendo que as situações especiais precedessem alguma perda. Foi assim até eu perceber que acabar é a única maneira de algo vir a se repetir, sem necessariamente ser da mesma forma. Outras viagens viriam, outros cursos, outros sonhos realizados que abririam novas portas assim que eu me permitisse encerrar os ciclos.

Por isso, neste poema eu trago novamente a questão de que é inevitável que as coisas findem, mas o brilho das pessoas e dos lugares sempre terá um espaço na nossa memória.

A saudade me ensinou a estar atento aos detalhes como um fotógrafo que anda sempre com a máquina na mão, registrando a simplicidade dos momentos, mas sem a ilusão da busca pela perfeição ou do lugar ideal, que acabam nunca sendo aqui. Esse olhar presente me lembra que, no futuro, muitas vezes desejaremos estar exatamente onde e com quem estamos agora.

TUDO ZEN
APRECIEMOS O AGORA
Monja Coen

As estrelas no céu.
Quando o pai de minha filha morreu, fiquei sabendo por um telefonema.
Acidente em Orly.
Saí da casa e olhei para o céu. Era noite. Uma estrela piscou para mim?
Teria sido assim?

Há momentos que guardamos, escolhemos guardar.
Momentos especiais.
Algumas vezes um olhar, um gesto, a Lua cheia com as nuvens passando, fluindo, imagens surgem e desaparecem. Sentimos a luz da Lua na pele. A mesma Lua que treme nas ondas do mar.

Selecionamos momentos, como fotos guardadas no álbum de nossa grande memória.
De tempos em tempos voltamos a visitar aquele instante.
Só que nós passamos daquele instante para o agora.
E a imagem está viva, já não é exatamente o que era.
Mudamos eu e a imagem da memória.

Sem nada fixo. Nada permanente.
Apreciemos o agora.

O que é o agora, o já?

Esta página em branco com letras negras que surgem do movimento de meus dedos no teclado deste computador.

Processando palavras com significados de hoje.

Amanhã haverá outras palavras e outros significados.

Digitar não é datilografar nem escrever a lápis ou caneta.

Podemos escrever colorido ou a cor pode surgir disfarçada nas entrelinhas do preto-branco. Que também pode ser branco-preto.

Misturar para dar vida.

Inspiro e realinho meu corpo.

Pés firmes no chão, cuidando para não esbarrar nas patas e no rabo da cadela Prajna Paramita, que douram o marrom dos tacos de madeira antiga deste aposento. Casa com mais de 70 anos. Mudei-me para cá com 4 anos de idade – talvez. Memórias são coisas estranhas. Muitas vezes bagunçam o passado e ficamos sem saber exatamente como e quando se deu.

Memórias só acontecem no presente.

No passado eram o presente.

No futuro serão o passado que foi presente.

E deixo de presente a quem virá a imagem da cadelinha Prajna Paramita – nome nobre, significa *sabedoria completa, perfeita*. Significa ter alcançado a margem da sabedoria, ter completado a travessia. Nome forte da mestiça dourada Prajna Paramita, mãe de seis. E seis são as *paramitas* ou *perfeições*:

Dana Paramita – Doação, generosidade, oferta.

Sila Paramita – Preceitos, vida ética.

Kshanti Paramita – Paciência, resiliência.

Virya Paramita – Esforço correto, energia.

Dhyana Paramita – Meditação.
Prajna Paramita – Sabedoria, compreensão profunda e clara.

Para atravessar o oceano de nascimento, velhice, doença e morte precisamos de apoios, barcos, remos, jangadas, braços, fôlego, dúvidas e certezas.

Atravessamos sempre no agora.
Doando generosamente o tempo de vida.
Vivendo de forma a pensar no bem de todos os seres.
Desenvolvo a paciência de estar aqui, agora, resiliente, suportando a sede.
Com esforço adequado me levanto e trago uma garrafa de água gelada. Bebo um gole.
Sento-me em silêncio e aprofundo meu contato com o todo. Sinto a água e o ar, ouço os sons e percebo odores. Penso, não penso e vou além. Medito.
Agora compreendo melhor o poema, o texto, e deixo que a sabedoria me guie e inspire.
Sempre no agora.

O som das rodas de um skate no asfalto e nas escadas da praça.
Motocicleta sobe a ladeira. Vozes. Depois um carro, dois.
Ainda o som das rodas do skate.
Tudo está acontecendo junto ao piar dos pássaros neste entardecer de verão.
Pandemia.
Havia me esquecido. Ainda estamos no agora. Nunca saímos do agora.

ROTINA É UMA GAIOLA QUE SÓ ABRE ÀS SEXTAS-FEIRAS. PASSOU A VIDA ESPERANDO? A VIDA PASSOU VOANDO.

@allandiascastro

MUDANÇA

"Sair da área de conforto é descobrir possibilidades."

@monjacoen

SEJA AREIA, OU SEJA AMOR
Allan Dias Castro

Se tudo que a gente planejou tivesse dado certo,
Muitos dos nossos melhores momentos não
   teriam acontecido.
Trocar frustração por aprendizado
É entender que todo plano que dá errado
Mostra um caminho que não foi escolhido.

Ou a gente aprende a ver por outro lado,
Ou passa a vida reclamando que está perdido
Pelo simples fato de os rumos terem mudado.

É que a gente anda tão ocupado
Que talvez tenha esquecido:
A mudança é a única certeza.
Que venham as boas surpresas
Porque estar vivo é ser surpreendido.

Deixa o tempo decidir o que vai passar,
Quantos planos são castelos em frente ao mar,
Quantas certezas vão desabar.

A ilusão é levar a sério demais
O para sempre ou o nunca mais.

Aproveite o durante.
Ele dura o que for
Seja areia, ou seja amor.

* * *

EU LEMBRO DE TER COMEÇADO o ano de 2020 com uma agenda lotada de compromissos inadiáveis. A segurança que esse roteiro fechado me dava era tão ilusória quanto limitante.

Quando me vi diante dos cancelamentos por conta da pandemia, perdi o chão. Logo depois botei em prática a percepção de que reclamar não é agir. O fato de já ter construído algo, ou seja, de já ter vivido o durante, me trouxe a calma para entender que eu poderia recomeçar, encontrando os caminhos que estavam ocultos pela visão conformada do costume.

A partir daí, percebi e aceitei possibilidades até então inusitadas, abrindo mão de tentar controlar como tudo deveria ser. Só o tempo transforma a dor momentânea dos cortes no aprendizado constante deixado pelas cicatrizes. As perdas pelo caminho machucam, mas distinguem o que é foco do que é ilusão ao derrubar as nossas certezas, os nossos castelos de areia. A vontade de escrever sobre esse tema veio para me alertar toda vez que eu me perceber preso à falsa sensação de segurança que o apego traz.

A inspiração de "Seja areia, ou seja amor" nasceu de um dia em que eu estava na praia observando uma mãe e um filho brincando na beira do mar, com um balde, no maior esforço para fazer uma escultura perfeita. Quando conseguiam, vinha a onda e a derrubava. E eles riam e recomeçavam. Por terem aprendido a construir tudo aquilo da primeira vez, eles não tinham medo de começar de novo. Aí eu percebi que a graça era esta: o processo. Todos os castelos ruíram, o que ficou foi o vínculo que eles construíram. Não era o resultado, mas a experiência que valia. Sim, talvez a beleza da vida realmente esteja na impermanência.

TUDO ZEN

SORRIR E RECOMEÇAR
Monja Coen

No budismo tibetano, os monges constroem intrincadas mandalas de areia colorida. Peças de arte que duram semanas ou meses. Há uma que só Sua Santidade o XIV Dalai Lama sabe fazer.

Quando terminam, logo a desmancham.
Sem fotografar. Sem querer lembrar.

A beleza da vida é viver.
Queremos tanto encontrar propósitos especiais, nos consideramos seres dotados de alguma razão mística para existir.
De repente vem a onda e leva embora o conceito, a ideia, e fica a água salgada na boca. E o corpo precisa de ar, levanta a cabeça, respira, mergulha, surfa, nada e não há onde se agarrar.

Assim os castelos de areia, os castelos de cartas de baralho ou as mandalas tibetanas.
Prazer no viver, no fazer, no estar presente e saber sempre que tudo é impermanente.
Projetos, propostas, agendas foram levados pela pandemia.
Outros vieram.
Mudou. Está mudando constantemente.

Sair da área de conforto é descobrir possibilidades.
Não se lamente, não resmungue, não queira que fosse diferente.

Use o que chega até você. Use para crescer, aprender, sorrir, recomeçar.

Nada nem ninguém atrapalha o fluxo da sua vida. Não deixe alguém pensar por você.

Pense. Observe. Reflita.

Suas mãos de criança, onde foram parar?

Todo o seu corpo mudou, desde o instante em que o óvulo materno foi invadido por um único espermatozoide paterno.

Que mistério, que magia maior haveria?

Divide, subdivide e eis um bebê.

Bebê tem vida de bebê. Depois se torna criança, que adolesce, adultece, amadurece, envelhece, decrepita, morre. Rapidinho, rapidinho, quase sem perceber. Se não tomar cuidado, não apreciará as várias etapas da vida.

Querendo chegar a algum lugar.

Querendo obter posição, sucesso, honrarias e cargos, alguns esquecem da alegria que é poder dar banho no bebê, trocar a fralda, amarrar o cadarço do tênis da criança ou do idoso – as coisas pequenas e doces dos momentos delicados e simples que jamais retornarão.

Cuidado! Não desperdice esta vida.

Há doçura na construção do castelo de areia na praia, no sorrir da mãe e do filho, vendo seu castelo se formar e se desfazer. Sem birras, sem braveza, sem reclamar e com a certeza de que sempre é possível recomeçar.

A PASSAGEIRA
Allan Dias Castro

Por mais que muita gente confunda não ter companhia
  com solidão,
Ela, não. Por isso, sempre pensou em fazer uma viagem
  sozinha – por opção.
Toda vez que buscava em alguém a sensação de liberdade,
Ela conseguia – não a liberdade, só a sensação,
Que passava cada vez que o outro decidia a sua direção.

Muitas vezes ouviu: "Parece que você está perdida na vida!
Vem, me segue que vou te levar."
Mas quando seguia alguém, se perdia de onde queria
  chegar.
"Até hoje você não sabe se virar sozinha, me deixa resolver."
Se deixasse, viraria outra pessoa, não quem poderia ser.

E quem era ela? Para onde iria? Muitas vezes nem
  ela sabia.
Preferia poder mudar a cada nova cidade, a cada dia.
Só tinha certeza de que não queria ser a mesma a vida
  inteira.
Assim, mais que viajante, ela entendeu a beleza de
  ser passageira.

Porque o problema de tomar uma decisão
Se preocupando só com os que opinam a nosso respeito
É que eles nem sempre respeitam a nossa opinião.

Por isso, às vezes, precisava se afastar um pouco,
Para se sentir mais próxima de si mesma.
Sempre acreditou que quem escolhe a liberdade como casa
Faz do mundo o seu lugar.
Como gostava da própria companhia,
Aonde ia, se sentia livre para chamar de lar.

O que aprendi com a Passageira, como ela passou a se chamar,
É que, quando sentir que está cercada de desconhecidos íntimos,
Aqueles que vivem presos nos próprios conceitos,
Mas adoram encontrar para você uma saída, não entre nessa.
Mude você de ideia, de rumo, mude-se de si mesma,
Para se conhecer a ponto de, quando sentir necessidade,
Poder se tornar uma completa desconhecida.
E, claro, de tempos em tempos, viaje sozinha – pela vida.

* * *

QUANTAS VEZES VOCÊ INSISTIU em permanecer igual por medo de não se reconhecer? Eu tenho uma lista enorme de momentos em que precisei viajar sozinho pela vida e encarar o desconhecido com iniciativas e decisões que ninguém poderia ter tomado por mim. Certamente as mais importantes foram mudar de profissão, de rumo e de cidade, tudo ao mesmo tempo.

Eu já fui o Allan estudante de Direito, tentando corresponder a expectativas que não eram minhas. Mais tarde, já avançando na direção da escrita, fui o Allan formado em Comunicação Social. Mas passei anos perdendo o sono para correr atrás de um sonho que não era meu, enquanto não tinha coragem para tirar meus textos autorais que estavam dormindo na gaveta. Segui vivendo possibilidades de mim mesmo até, finalmente, perceber que a grande descoberta era ser o que eu sempre quis: poeta.

Sei que nem toda passagem é só de ida, mas quem dá o primeiro passo em busca da própria liberdade, mesmo que em algum momento decida voltar, já não voltará mais o mesmo. Ainda que esteja cada vez mais diferente, me reconheço e me identifico com o Allan de hoje em dia, agradecendo, é claro, a todas as antigas versões que me tornaram quem eu sou. Aprendi que quando nada se transforma, alguma coisa se perde. E talvez seja nossa essência. O poema "A Passageira" traz não só a minha caminhada na bagagem, mas tem como inspiração toda pessoa que soube diferenciar não ter companhia de solidão, e assim acabou encontrando a si mesmo no (seu próprio) caminho.

TUDO ZEN

A VIDA É MUDANÇA E TRANSFORMAÇÃO

Monja Coen

"Quantas vidas em uma só vida!", comentava minha mãe sobre mim.

Viajante, passageira, peregrina, procurando por mim mesma em terras distantes.

Nada era estranho ou assustador.

Andar de *subway* em Londres era massa.

Ninguém me conhecia. Nome de família só serve em algumas áreas do Brasil.

Lá, lá longe, esses nomes latinos são difíceis de entender. Por que dois, três sobrenomes? Um só seria bastante.

Valores que se transformam em culturas e etnias distantes. De repente se tornam tão íntimos que até nos esquecemos de como éramos antes.

Cada encontro uma mudança.

Aprendendo e desprendendo.

Renovando o olhar.

Não é uma paisagem mudando no trem super-rápido. A cada instante gente, plantações, sonhos, emoções, carros, crianças, idosos, arroz, chá, monte Fuji. Estações do ano.

No mosteiro a novidade era o inesperado. O despertar da mente é o encontro sagrado.

Sentadas em meditação, monjas de todas as idades, vindas por razões diversas, em silêncio nas madrugadas geladas e nas tardes quentes. Sol, chuva, neve, escuridão. A rotina do mosteiro se mantinha por anos, séculos sem fim. Gong! Gong! Gong! Pela manhã 108 vezes, algumas rápidas, outras lentas. Cento e oito obstáculos a serem transcendidos, 108 portais para o despertar.

Embora fosse a mesma rotina, nunca era o mesmo dia.

"Dez anos para se tornar monja. Dez anos para se tornar professora. Dez anos para se tornar mestra." Pelo menos trinta anos para poder transmitir os ensinamentos.

Queremos tudo tão rapidamente... Paciência, perseverança, aguenta...

Mudam as pessoas, o sistema monástico muda pouco.
Entretanto muda também.
Equipamentos modernos foram sendo instalados.

Na minha época de noviça, não havia máquina de lavar roupas. Tudo à mão. Lençóis, cobertores, toalhas. Difícil, com a bacia ao lado, torcer tanta água.

Passar pano no chão com as mãos, correndo pelas salas de madeira e de tatame.

Atividade física era faxina. Aprendi japonês, aprendi a tocar sinos e tambores, a oficiar e auxiliar liturgias longas e curtas. Mais do que tudo, aprendi a conviver com quem não me reconhecia nem me via. E eu? Levei quase oito anos para compreender nossa Superiora e minhas colegas noviças. Saí do mosteiro e fui continuar meu treinamento em um templo em Tóquio. Difícil. Relações humanas sempre são a parte mais complicada.

Depois de um tempo, me deixaram usar um carro grande. Guiando pelas estradas bem cuidadas entre Nagoya e Tóquio, eu corria. Fui morar sozinha em um templo na montanha. Falava com pássaros e cobras. Orava, trabalhava e era feliz em minha própria companhia.

Havia tanto a aprender, a estudar, a ler, a escrever.

Mas tudo continuaria mudando e se transformando.

Sem assistir à TV, sem ler jornais, era como se vivesse uma realidade paralela do resto do mundo. Até que me enviaram um exemplar da revista *Time*. Época da Guerra do Golfo.

Soldados, aves presas no petróleo. Como? Isso ainda existe?

E hoje, trancada em casa por causa do coronavírus, continuo me surpreendendo com países em guerra, bombas, assassinatos.

A vida é tão rara e preciosa, por que não somos todos capazes de apreciar a existência?

Sobraram breves memórias desses anos todos de noviça, de monja formada, de professora reconhecida, retalhos...

Jornais e revistas me entrevistaram, e a televisão também – no Japão.

E o mesmo no Brasil.

Seria carma, sina? Ou seriam as escolhas por mim escolhidas?

Houve um tempo em que meu pai escolheria por mim. Outros momentos, minha mãe ou minha irmã mais velha. Houve amigas e amantes. Casamentos e divórcios. Uma filha, uma neta e dois bisnetos. As mudanças continuam nesta minha peregrinação sagrada de Bibi, bisavó, de Roshi, velha mestra.

Surpreendo-me quando, por acaso, um espelho reflete minha imagem. Quem é esta pessoa? Na adolescência ficava horas me admirando no espelho, me maquiando, me vestindo, procurando uma imagem perfeita de mim mesma.

Hoje os espelhos não me importam mais.

Procuro a mente Buda, a mente desperta.

Procuro meios de estimular as pessoas a apreciarem a vida, as mudanças. A se maravilharem com o inesperado capaz de nos tornar mais criativas e hábeis.

Hoje, diferente de ontem e de amanhã.

A vida é mudança e transformação.

Quando fluímos com o fluir do Cosmos, tudo manifesta a grande harmonia.

Quando me separo, a distância é maior do que entre a Terra e as estrelas do céu.

Estamos em meio a uma pandemia que nos atravessa e que atravessamos.

Quando pensamos que acabou, o vírus faz novas mutações e se espalha com mais agilidade.

Haverá outras pandemias, todos afirmam.

Nós, seres humanos, ficamos mais frágeis nos isolando do meio silvestre?

Que processo incrível.

Estamos todos nos transformando.

Será que só haverá um final feliz se todos nós despertarmos? Se todos nós conseguirmos perceber a trama da vida e passarmos a cuidar de todos os seres, de todas as formas de vida?

A minúscula aranha no pano de prato me revela a vida. Teriam suas moléculas um dia estado em seres humanos? Teriam sido folhas, cachorros, abelhas ou passarinhos? Tudo se transforma. O planeta recicla.

O planeta é reciclagem cósmica.
Somos pó de estrelas.

Coexistimos.
Somos a vida que incessantemente está em processo de mudança e depende de todas as outras.

Sistema solar, Via Láctea e o planeta azul girando e nos transformando suavemente.

Malas prontas, mobília preparada, e lá vamos nós, novamente, para um novo lar.
Local de tranquilidade e harmonia. Vamos?

Não é longe. É tão perto que nem conseguimos perceber.
Está em nós. Deixemos as tralhas para lá. Vamos livres e soltos, sem carregar o desnecessário para podermos acolher o novo. Um vaso cheio não pode receber nada.

SE NADA SE TRANSFORMA, ALGUMA COISA SE PERDE, NEM QUE SEJA AQUELA CHANCE, AQUELA ESPERANÇA DE MUDAR PARA MELHOR.

PREFIRO A LIBERDADE
DE NÃO SABER
A SABER DE COR.

@allandiascastro

TER x SER

"Seres humanos acessam a mente desperta e se tornam pessoas além de todo e qualquer nível. Antes do tudo e do nada."

@monjacoen

PROFESSOR ANALFABETO
Allan Dias Castro

As pessoas que confundem o que elas são com o que têm,
Quando perdem seu cargo, se despedem de quem?
De quem nunca foram na realidade,
Porque não existe hierarquia que diminua nossa personalidade
Quando a gente se dá conta de que, atrás do crachá,
É que está nossa identidade.

E ninguém tira o que você é.

Sempre que vejo alguém se sentindo superior,
Lembro de um senhor analfabeto que era chamado de professor.
Ele era muito respeitado, mesmo sem ter instrução,
Por ser dotado de imensa sabedoria.

"A diferença", ele dizia,
"É que sabedoria ninguém tira.
Esse monte de informação
Hoje vai ter validade.
Amanhã? Expira."

Ele sempre repetia:

"Eu respeito seu título, mas me identifico com seu nome.
Respeito seu sobrenome, mas é só uma identificação.
Por isso respeito tanto alguns amigos
Com quem a gente se identifica a ponto de chamar de irmão."

Foi com esse professor analfabeto
Que aprendi que respeito não é competição.
Você continua ganhando ao respeitar o outro
Mesmo fora do ambiente de trabalho, fora do horário,
Porque valorizar alguém não significa perguntar o salário.

Ser quem a gente é
É diferente de ser o que a gente quer ter.
Então não deixe que sua posição
Chegue primeiro que você.

* * *

MEU PAI HAVIA ACABADO DE SE FORMAR na faculdade de Direito quando ouviu de meu avô: "Parabéns! Agora é preciso ir da instrução à sabedoria." Esse desafio também foi herdado por mim, mas da maneira mais eficaz que conheço: pelo exemplo. Por ouvir as histórias sobre meu avô e observar meu pai em sua conduta profissional, pude perceber que a procura pela sabedoria é uma caminhada que não exige cargos, diplomas, tampouco sobrenomes.

Como, então, comprovar tal conquista? Nessa busca, a necessidade de comprovação é inversamente proporcional à evolução: quanto mais longe você chega, maior o respeito aos que o cercam. E quanto mais você caminha, menos preso fica ao medo de perder e à necessidade de competir.

Por isso, a liberdade não vem do que você tem, mas do alívio em saber que ninguém tira o que você é. Já me questionei sobre como fazer minha filha entender essa diferença entre ter e ser. É claro que passarei adiante a relevância de conquistar uma bela carreira acadêmica.

Mas como ensiná-la sobre a grandiosidade contida na

oportunidade de ouvir nossos ancestrais, muitos deles com os estudos inacabados, mas trazendo verdadeiras aulas de vida por meio de suas histórias? Como incentivá-la a ter o retorno financeiro que achar justo, mas entender o valor da paz interior que o dinheiro não compra? Eu percebi que ela terá que se abrir às sutilezas do caminho para aprender o que não se ensina – pelo menos não apenas na teoria.

Escrevi "O professor analfabeto" em agradecimento a todos os mestres – por profissão ou por dom – que os olhares atentos nos proporcionam pela vida.

TUDO ZEN
ALÉM DE QUALQUER GRADUAÇÃO
Monja Coen

No zen-budismo, dizemos que a pessoa de nível mais elevado é aquela que, como diz o poema de Allan, foi além das graduações comuns.

Já conhece a si mesma e reconhece em cada ser que encontra um aspecto de si.

Compartilha e colabora em vez de competir e se resguardar.

Cuida e se envolve com quem trabalha. Divide o pão, o arroz, o feijão e com o que sobra faz sopa no fim da tarde.

Nada é desperdiçado.

Nem seu tempo, nem seu afeto.

Sempre pronta à ação adequada.

Há muito deixou de lado a necessidade de elogios e afagos.

As críticas são ouvidas e consideradas.

Sempre é tempo de melhorar.

"Em segredo e misteriosamente,
Agindo como um tolo,
Atuando como um bobo,
Apenas o capaz de herdá-lo
É chamado de mestre entre os mestres."

Essas cinco linhas são de um ensinamento zen que se tornou uma prece, *Samadhi do Espelho Precioso*, escrito na China Antiga pelo monge Tozan Ryokai.

Samadhi é o estado profundo de meditação em que tudo se revela assim como é.

Em que já não há mais um eu separado, que está além do dentro e fora, do eu e outro.

Quando nos identificamos com o todo e com tudo.

Quando nos tornamos uma gota de água do mar – sendo sempre o mar, as ondas, o movimento.

Não há alarde; é silencioso, secreto, misterioso, pois acessa o mais íntimo do ser.

Apenas um mestre reconhece um mestre. Age sem um eu agindo. Pode parecer tolo ou bobo algumas vezes. Não revida grosserias, não se preocupa em ganhar discussões nem prêmios. Muitas vezes até prefere ser confundido com ninguém.

É melhor ser reconhecido por um mestre do que por pessoas que não despertaram e correm atrás de fama e fortuna. Buda admoestava seus seguidores a não cair na armadilha de poder e de riqueza. O maior poder é controlar a própria mente e a maior riqueza é viver de acordo com a verdade.

O ser sábio pode até parecer tolo.
Não julga nem se ofende com desdéns ou grosserias.
Caminha leve sobre a terra.
Não precisa deixar pegadas fundas.
Passa sem deixar marcas.
Não se importa com estátuas nas praças nem com chaves de cidades.
Livre, caminha.
Sempre disposto a cuidar.
Daquela gente antiga, cuja palavra vale mais do que contratos assinados e depois distratados.

Gente que não trai os amigos nem os amores.
Gente que não atrapalha fingindo que quer ajudar.
Gente que percebe a necessidade verdadeira e age de forma adequada para o bem de todos.

Também ouvi muitas histórias de meu avô.
Histórias de valentia, histórias de honestidade.
Histórias de quem sempre vivia pela verdade.
Meu avô morreu pobre, mas cheio de dignidade.
Nasceu em berço de ouro, foi deixando o ouro se espalhar.
Ainda menino, cantava à noite com as pessoas escravizadas: "O galo cantou, é para amanhecer."
Frase repetida tantas e tantas vezes na roda, em volta de uma fogueira.
Aquele povo negro e amado, com o qual se identificava.
Aprendeu a tocar violão e repetir as cantigas.

Era doce, meu avô.
Macio e amado.
Foi trabalhar na USP como tesoureiro.
Sempre chegou no horário.
Nunca faltou.
Nunca teve pressa de ir embora.
O trabalho era sagrado.
Mas não se matava. Sabia dividir o tempo, os afetos, a família.
Nunca o vi cansado.
Nunca o vi resmungando.
Sorria.

Décimo sétimo filho, teve o peito perfurado por um galho de árvore na infância.

Mais tarde, depois de casado, foi fazer fogo e seus cabelos ficaram em chamas.

Correu para dentro da casa, pegou um cobertor e apagou o fogo sozinho.

Enquanto outros gritavam, sem saber o que fazer.

Ensinou-me a não ter medo, a assumir minhas faltas e erros.

Ensinou-me a cantar e a dançar, a jogar baralho, a rir, correr, brincar.

Era puro amor.

Teve tuberculose e se curou, numa época em que a maioria morria.

Parou de fumar quando decidiu parar.

Tinha força de vontade.

De dedos longos e brancos, fazia bonecos de mãos dadas recortados de um jornal.

Cabelos ondulados que nos deixava pentear sentado numa poltrona.

Tantas memórias vieram mescladas nesse poema de Allan.

Somos mais que um nome, um sobrenome.

Somos mais que um cargo, dinheiro guardado, propriedades.

Talvez a maior propriedade seja nos tornarmos seres próprios – quem somos e o que podemos fazer para o bem de todos os seres.

Olhe cada criatura bem dentro dos olhos.

Reconheça seus ancestrais em todos nós.

Respeite a vida que pulsa – tanto no pobre da rua quanto no biliardário voando sobre as cidades.

São seres humanos.

Da menina que se esconde embaixo da cama numa casa rústica de periferia à princesinha dos bairros mais abastados do mundo – crianças.

Educar para o afeto, para a equidade, para o respeito.
Bastam algumas histórias antigas e modernas.
Histórias de heróis e heroínas, capazes de romper com as rotinas das limitações mentais, sociais, temporais.

E lá estamos de volta, entre sábios e sábias, sorrindo, revendo, recontando, como no poema de Gonçalves Dias:

Um velho Timbira, coberto de glória,
Guardou a memória
Do moço guerreiro, do velho Tupi!
E à noite, nas tabas, se alguém duvidava
Do que ele contava,
Dizia prudente: "Meninos, eu vi!"

Eu vi o brioso no largo terreiro
Cantar prisioneiro
Seu canto de morte, que nunca esqueci:
Valente, como era, chorou sem ter pejo;
Parece que o vejo,
Que o tenho nest' hora diante de mi.

De uma época em que meninos não podiam chorar, o velho Timbira lembrava aos pequenos um grande herói Tupi, que lutou contra uma tribo inteira depois de ter sido considerado covarde ao chorar por amor a seu pai, *"que cego e quebrado, de penas ralado, firmava-se em mi"*, ou seja, dependia do filho que se tornara prisioneiro.

Poesias, histórias, contos que nos fazem sair dos padrões impostos por valores errôneos para que possamos ver, ouvir e sentir de verdade.

Uma vez fui a um encontro de CEOs das maiores empresas no Brasil.

E um deles se levantou e declamou um poema com tanta beleza e simplicidade que cortou todo e qualquer preconceito que ainda houvesse em mim contra ricos ou contra pobres.

Seres humanos acessam a mente desperta e se tornam pessoas do nível sem nível.

Além de todo e qualquer nível. Antes do tudo e do nada.

E SE?
Allan Dias Castro

E se eu mudasse o mundo a cada rima,
Será que o futuro também mudaria?
E se Einstein fosse lá de Hiroshima,
A bomba ficaria só na teoria?

E se o Dalai Lama fosse Che Guevara,
Monges barbudos fariam uma revolução?
E se Che Guevara fosse o Dalai Lama,
Fidel se renderia à meditação?

E se Jim Morrison fosse o Bill Gates,
Faria o próprio site pra lançar seus *singles*?
E se Bill Gates fosse o Jim Morrison,
Teria uma banda chamada The Windows?

E se Bob Marley fosse Jesus Cristo,
O papa escutaria *reggae* de joelhos?
E se Jesus Cristo fosse Bob Marley,
Seus olhos azuis seriam, então, vermelhos?

Esqueça teorias, monges, poetas, bandas, crenças,
Alá, Sidarta, Clapton ou outro deus qualquer.
Pra realmente um dia fazer diferença,
E se você fosse apenas quem você é?

* * *

EU LEVO A PRIMEIRA FRASE DESTE POEMA tatuada no braço esquerdo: "E se eu mudasse o mundo a cada rima?" Só nessa simples pergunta já dá para saber que escrevo e o que pretendo com meus versos. Mas, com o passar dos anos, percebi que, embora diga muito a respeito do que eu faço, essa sentença não fala sobre a mistura de influências e experiências que resulta em quem eu sou. E isso nem sempre é algo fácil de expressar.

Meu objetivo com o poema "E se?" foi refletir sobre quanto da nossa identidade é formada pelo que levamos dos outros e sobre como não perdê-la por isso. É claro que todo encontro é uma troca, mas é preciso muita coragem para fazermos a diferença a partir da nossa personalidade e colocarmos em prática a ideia de mudar as coisas começando por nós mesmos.

As pessoas que conhecem minha poesia só têm acesso a quem é o poeta por trás da caneta quando consigo botar algo muito pessoal no papel, o que resulta, por mais contraditório que possa parecer, em um texto com ampla identificação dos leitores. Portanto, quanto mais eu me expresso de forma autoral, maior é a minha liberdade – que vem justamente da consciência de que não somos a interpretação dos outros. É assim que enxergo a grande beleza de escrever: a poesia é um canal para que o leitor se reconheça.

A inspiração do "E se?" foi minha vontade de evitar que, com tantas interferências externas, a gente vá acreditando em tudo – menos na gente. Se anulando, se escondendo, sendo o que dizem e desaparecendo. Pensando agora, um dia ainda completarei a tatuagem. Desta vez, com o último verso do poema, como um eterno desafio: "E se você fosse apenas quem você é?"

TUDO ZEN
QUEM É VOCÊ?
Monja Coen

Quem é você?

Não perguntei seu nome, sua profissão, seus estudos.

Pergunto: quem é você?

E vou perguntar tanto que nenhuma resposta servirá.

Até que, encurralado num canto, sem mais nada a dizer, poderá murmurar:

"Não sei."

Ah! Finalmente chegou ao eu não eu.

Somos colchas de retalhos feitas de pedaços de pessoas, de textos, poemas, filmes, tratados, romances.

Somos um pouco do pai, um tanto da mãe. De toda a ancestralidade.

Vamos levando o DNA humano adiante e nos transformando a cada passo.

Encontramos alguém que admiramos e o seguimos por algum tempo.

Depois encontramos alguém mais e repetimos seus versos.

Mais adiante há outros aprendizados.

Somos essa multiplicidade de encontros e desencontros.

Mas é preciso perceber, em profundidade, quem é você.

Não é seu pensamento nem seu hálito.

Você não é a mão nem o intestino, mas é esse organismo vivo, influenciável e influenciador.

Sem dor.
O parto de si mesmo.
Reconhecendo tudo o que nos faz ser quem somos.
E somos um processo mutante, transformante e transformador.
Sem dor.

Einstein em Hiroshima.
Dalai Lama e Che Guevara.
Jim Morrison e Bill Gates.
Bob Marley e Jesus Cristo.
Sidarta e Eric Clapton.
Que turma da pesada.
Se não fossem quem foram, não seríamos quem somos.
Houve Hiroshima bombardeada.
Houve Einstein se arrependendo.
Hoje é uma cidade renovada, com jovens correndo, brincando nos monumentos. Que horror!
Um átomo transformado, e tudo se arrebenta.

Penso sempre que, se cada um de nós nos tornarmos um átomo vivo de paz, estaremos transformando o mundo em harmonia, respeito e compartilhamento.
Talvez assim tenham sonhado todos os personagens que Allan escolheu em sua poesia.
Revoluções, transformações, mudanças pelo amor, pela música, pela poesia.
Tudo isso é possível.

Espero que um dia você se junte a nós
E o mundo será um, disse John Lennon em "Imagine".

Mudança muda mudando.

Podemos ser a transformação que queremos no mundo.

Mahatma Gandhi apontou o caminho da não violência ativa.

Não somos esses personagens históricos poderosos, somos nós.

Cada um de nós é responsável pela realidade que vivemos.

Podemos fazer um mundo extraordinariamente alegre, sem fome, sem miséria, com mais amor e menos dor. Podemos, sim. Vamos transformar corrigindo erros, apontando caminhos e nos tornando o caminho do despertar.

Acorda, vem brincar de ser gente de bem, gente boa, mano, mana, lado a lado, ponta de dedo tocando ponta de dedo, mantendo o distanciamento, mas na grande intimidade de nos reconhecermos humanos, simples, pessoas comuns e, ao mesmo tempo, seres sagrados, despertos, iluminados.

NÃO DEIXE QUE SUA POSIÇÃO CHEGUE PRIMEIRO QUE VOCÊ.

@allandiascastro

AMOR

"Amor é transformação. Aceitar o outro assim como é e não querer transformá-lo em quem você quer que seja."

@monjacoen

FASE DOIS
Allan Dias Castro

Dormir e acordar muitas vezes
Ao lado da mesma pessoa
É dar bom dia à realidade.
Perceber que ela já não é mais
Aquela dos nossos sonhos
Pode ser sinal de maturidade.

Não se trata de idade, é cumplicidade.
Acabou o encanto? Que bom!
É hora de começar
Um relacionamento de verdade.

Quem não está disposto a assumir o outro
Pode não estar pronto para encarar a si mesmo.
Eu chamo de fase dois o que vem depois,
Quando a gente começa a dizer que está ocupado
A quem nunca atendia um telefonema
E passa a acreditar na frase:
"Não está em você o problema."

Não há nada de errado em querer curtir
Uma adolescência tardia,
Mas não dá pra confundir
Usar máscaras com viver uma fantasia.
Pelo menos não comigo.
Porque o perigo de viver enganando a si mesmo
É achar que vai enganar todo mundo.

E se você pedir pra quem está nessa fase mudar,
Ele muda – de assunto.
Então eu pergunto:
Não é melhor você mudar de fase
E dar bom dia só ao que te faz feliz?
Mudar de fase é deixar de fazer o que não te fazia bem.
Quem não quiser dividir um sentimento, sinto muito.

Dar bom dia a uma nova realidade
Não quer dizer que a gente
Não vai mais sonhar acordado.
É poder afirmar com sinceridade
Que quer alguém para realizar os sonhos ao seu lado.

Se, por acaso, o encanto acabar,
Não precisa desacreditar no "felizes para sempre".
É possível aprender a ser feliz
A cada novo momento, com a mesma pessoa.

Sentimento não enjoa,
Amor não envelhece quando amanhece,
Amadurece.
Cansou de perder as noites com hipocrisia?
Bom dia!

* * *

EM UM RELACIONAMENTO BASEADO na sinceridade, eu acredito que o impulso inicial de darmos apenas o nosso melhor acaba cedendo espaço à necessidade de se dar por inteiro. À medida que o tempo transforma perfeição em realidade, temos a chance de nos enxergarmos nas diferenças do outro e nos tornarmos melhores juntos.

Lembro de ter lido uma mensagem nas redes sociais em que uma pessoa cobrava: "Você não era o que eu imaginava. Você me decepcionou. Acabou o encanto." Nas entrelinhas, ela se queixava de que a imagem criada não condizia com a verdade e agora teria que lidar com a frustração das próprias expectativas. E esse é um processo difícil, que passa por olhar para dentro, encarar o espelho, revisitar a própria estrutura familiar sem julgamentos e contemplar a possibilidade de não repetir padrões absorvidos pela memória.

Quantas vezes eu já me vi fazendo justamente o que mais criticava no relacionamento dos meus pais? Ou ainda buscando um resultado diferente, mas revisitando os velhos hábitos, frequentando os lugares de costume, mantendo os mesmos conceitos de dez, quinze anos antes?

Se você estiver aberto a esse tipo de questionamento, perceberá que nem todos com quem se relaciona também estão. Portanto, precisará lembrar que não é uma questão de certo ou errado: são apenas fases diferentes. O problema é insistir em mudar o outro, querendo levar adiante um relacionamento com quem não quer sair do mesmo lugar. Essa insistência vai causando uma ferida, nos fazendo buscar algo que beira a ilusão ou trazendo a vontade de nos trancarmos em nosso mundo, perdendo a confiança em nós mesmos por não conseguirmos confiar em mais ninguém.

Eu acredito que se abrir e dizer que gostaria de mudar de fase com alguém seja o primeiro passo. Os próximos virão com a convivência e o cuidado de querer não alguém que nos complete, mas uma pessoa que traga sempre a possibilidade de sonhar em dobro. A realidade (que você escolheu) virá a cada "bom dia".

TUDO ZEN

NÓS

Monja Coen

Bom dia, sem hipocrisia.
Que maravilha.
Relacionamentos humanos estão sempre se transformando.
Cada pessoa muda e a relação muda.
Quando conseguimos fluir com o fluir da vida, entramos em harmonia.
Quando lutamos contra, queremos que seja como foi, perdemos.
Nada permanece o mesmo.
O amor muda e a paixão se torna ternura profunda, respeito e afago, querer bem.

Há momentos difíceis num casamento.
A cama compartilhada não comporta apenas duas pessoas. Cada uma carrega em si muitas outras, que dão palpites, inflamam discussões e aflições, carinhos e cuidados.
Por isso é importante perceber o movimento.
Entender as fases da Lua e do Sol...
Tudo em movimento.

Amor é transformação. Aceitar o outro assim como é e não querer transformá-lo em quem você quer que seja.
Será que consegue amar assim?
No vazio de uma identidade independente e separada?
Percebendo que somos sós e somos entre os outros?
Que mais vale o nós do que o eu?

Será que podemos trocar o ego pelo eco, como fala a física quântica?

Deixar o eu pequenino, cuidando da respiração, e perceber que sem o ecossistema não haverá oxigênio? Somos a vida da Terra.

Quando nos damos conta de que cada dia é um dia diferente, semelhante, mas não igual; quando saímos das cobranças, das reclamações e expectativas, podemos adentrar a senda do esperançar – o que fazer para ficar melhor?

Cabe aos dois e a cada um.
Despertar.
Amadurecer a relação não é desistir, ir embora, fugir, enganar.
É presença de afeto, de respeito, compreensão.
Dar tempo para descobrir que viver junto é criar uma terceira mandala.
Cada pessoa tem sua mandala individual, na qual é o centro.
O casamento, o morar junto, é criar uma terceira mandala na qual o casal é o centro. Mas as duas mandalas individuais permanecem, e um não pode querer controlar a mandala individual do outro.

Ser verdadeiro não significa falar tudo o que se pensa. Primeiro é preciso silenciar e ouvir o seu mais íntimo, meditar e se autoconhecer em profundidade. Assim, antes de falar, há de se pensar: o que vou dizer é verdadeiro? O que vou dizer fará bem a quem ouvir? Trará mais harmonia e ternura? Se uma dessas perguntas não tiver resposta afirmativa, é melhor se calar. Não podemos falar tudo o que pensamos, e devemos pensar antes de falar.

DIARIAMENTE
Allan Dias Castro

Eu quero um amor pra vida inteira
Que dure o tempo de um só dia.
Vencendo a monotonia do eternamente,
Vivendo a eternidade momentaneamente,
Dia a dia, diariamente.

Eu quero um amor pra vida inteira
Que perceba na mudança o traço do que é permanente,
Que saiba se renovar a cada passo
Para não ter um passado pela frente.

Eu quero ver aquelas fotos antigas
E perceber que envelhecemos juntos,
Sem julgamento, enxergando a beleza de cada momento.
Se me pego perguntando "até quando vai durar?",
Que seja pra lembrar que eu nunca tive essa resposta.

Mas se hoje eu sei do que você gosta,
É porque a gente experimentou a incerteza lado a lado
E se conhece a ponto de você me entender calado
E já ter perdoado muita coisa que eu nem devia ter dito.

Se hoje parece que já estava escrito,
Que amanhã a gente não esqueça de continuar escrevendo
Pra esse amor de uma vida inteira
Não acabar morrendo por falta de amar.

Construir uma história com alguém
É ter a coragem de andar muitas vezes no escuro.
A gente não sabe o que vem pela frente,
Mas só por andar de mãos dadas já se sente mais seguro.

Aí o dia vai nascendo, dia a dia a claridade vai entrando,
Me mostrando que está no caminho
A segurança que eu tanto procuro.
Por isso, a graça de viver o agora ao seu lado
Também é fazer planos pro futuro.

Um dia de cada vez. Daqui pra frente,
Daqui pra frente, daqui pra frente.
Sim, eu quero um amor pra vida inteira
Diariamente.

* * *

EU SEMPRE DIGO QUE É IMPOSSÍVEL permanecer com a mesma pessoa por muito tempo. Até porque nem você vai continuar igual. Manter os mesmos relacionamentos não significa se repetir nem insistir em velhos erros. A gente muda de ideia, de planos, de assunto. Mas quando o sentimento continua sendo especial, a gente muda junto.

Eu gosto muito de ver as fotos do começo do meu namoro com a Ana, que hoje é minha esposa. Nosso relacionamento tem tanto tempo que já dá para olhar os álbuns antigos e brincar, dizendo: "Essa é de quando éramos jovens." Tudo o que construímos até aqui mostra que a presença de um potencializa a existência do outro. Gosto de ser quem me torno quando estamos juntos. É lindo ver a mulher que ela é hoje. E prazeroso imaginar quanta coisa nossa família ainda vai realizar.

Até onde vai o "para sempre"? Até quando nossa história não se perder no tempo por falta de amar. Relacionamento é cuidado, cuidado é presença, presença é momento. Dividir esses momentos diariamente é amor. Sim, diariamente, nos reinventando para não confundirmos longevidade com comodismo e conseguirmos inclusive fazer planos para um futuro juntos sem que isso signifique termos um passado pela frente.

TUDO ZEN

AMOR É LUZ

Monja Coen

Amor é o que se sente no momento em que se ama.

Amor existe em nós. Alguém provoca o sentimento – por que será?

Será que surge do nada, será que vem com o vento?

Será o DNA querendo procriar?

Certa vez um monge japonês deu a seguinte explicação:

"Se quero estudar e meu vizinho me atrapalha com conversas, risadas, música eletrônica, impedindo os meus estudos, eu odeio meu vizinho, sua música, seus amigos, sua risada, seu tudo.

"Se quero estudar e meu vizinho é silencioso, coloca música clássica suave, facilita meu estudo e vou bem na prova, eu amo o vizinho e sua música."

Será que o amor é assim, condicionado ao que eu quero e preciso, aos meus objetivos?

Amor é objeto ou é sentimento às vezes sem nenhum sentido?

Se atender às minhas necessidades, se me ajudar a chegar aos meus objetivos, é amor?

Se não atender aos meus anseios, não comungar de meus projetos e valores, então o amor desaparece?

Conheci um casal que foi capaz de manter o amor vivo. Aliás, conheci vários que nunca desistiram um do outro nem de si mesmos.

Um desses casais era formado por duas pessoas muito diferentes: ela vegetariana, elegante, estudiosa da vida, fazia cursos de ética e filosofia. Ele comia carne de porco e de todos os bichos. Era gordinho. Era um homem muito educado e amava sua princesinha. Deu-lhe toda a liberdade de estudar, de seguir o seu caminho. Ela também não exigia que ele a acompanhasse nas aulas e nas comidas.

Sentavam-se à mesma mesa e se respeitaram até o fim da vida.

Outro casal das antigas tem uma linda história. Tiveram seis filhos e três morreram. Foram ricos e muito perderam.

Na velhice sentavam-se para jogar cartas numa mesinha de feltro verde.

De repente ele colocava sua mão branca, de dedos longos, sobre a mãozinha enrugada dela.

Era um gesto simples. Sem beijo, sem abraços públicos. Era amor puro.

"Não o leve embora, não. Deixe-o aqui ao meu lado. Mesmo que nada fale, que precise de fraldas e de soro. Não o leve embora."

Amor eterno, eterno, o casal havia escrito numa foto para filhos, filhas, netas e netos.

Eterno, pois continua como quando estavam vivos. Ela forte dona de casa, educando linha-dura. Ele professor, chegava e sorria, brincava e amansava toda a casa com sua alegria.

Existe amor assim, que não pede nada, que não exige, não cobra. Só a presença, o seu respirar ao lado, alegrava.

Amor verdadeiro, eterno, renovado a cada dia – existe, é possível, não é fantasia.

Precisa sair do ego, do pensar apenas em si. Precisa adentrar o nós, o plural de um e um.

Nesta pandemia houve muito desamor.
Houve quem quisesse se divorciar, ir embora para sempre.
"Não suporto sua voz, seu andar, seu pensamento, seu cheiro, sua comida, suas conversas, sua bebida."
De repente descobriu que não tinham nada a ver.
Nem o branco do olho era branco. Estava turvo, amarelado.
Doente?
Doente de desamor, sem afeto, sem calor.
Só cobrança, reclamação.
"Queria que você fosse diferente, fosse mais assim ou mais assado.
E é por te amar que aviso: ou muda, ou se muda."

Outros confundem amor e posse.
"Você é minha."
"Não olhe para o lado."
"Não se vista assim na rua."
"Com quem estava até agora?"
"Dê aqui seu celular, preciso verificar essas chamadas."
"Quem é este?"
"Vagabunda!" E lá vai surra, insulto, tapa, grosseria.
De ciúme e vingança vai crescendo a violência.
Depois se arrepende, pede desculpas.
Ciúme é vício, é doença.
Já no início da relação não pode alimentar.
Parece tão bonitinho: "Ficou com ciúme de mim – é porque gostou, me ama."
Será?
Não confiou nem em si mesmo, quanto mais na menina.

Depois sai no jornal, na estatística de feminicídio.
Achava que era amor.

Amor, gente, não é isso.
Não é insultar, ofender, rebaixar – por amar, para ajudar.
Não é bater, desconfiar, matar – por amor.

Amor é entrega e aceitação.
Reconhecimento de um afeto que aquece o peito.
Vontade de ficar perto, de conversar, de estar junto, de não desligar a conexão, de manter a relação.
Não ter medo, partilhar sonhos e pensamentos.
Rever suas decisões.
Decidir a cada dia se continua a manter o elo sagrado.
Às vezes, não se consegue parar de amar.
Mesmo sem casamento, sem cama, sem documento.
Há uma coisa no ar.
Seria o DNA querendo procriar?
Ou seria a magia da vida, de um cupido, anjinho de arco e flecha aprontando sem parar?

Nas noites de Lua cheia não é lobisomem que surge, não.
É ternura, abraço e beijo – nesta época tão seca, em que tudo é proibido.
De longe manda um sorriso.
De longe um coração voando.
Uma palavra macia, os olhos brilhando.
Um sorriso de alegria do encontro, reencontro, virtual, presencial.

Quando o amor entra em cena, tudo fica luminoso.
A gente vê beleza até no que achava feio.

Tudo fica lindo, tudo fica gostoso.
Somos gentis na rua, no trânsito, na fila de espera.

Parece que, de repente, a vida ficou bonita.
O mundo ficou mais leve.
E a gente espera sorrindo o telefone tocar, a mensagem chegar.
Quando a porta se abre, o coração acelera, a gente levanta e recebe com abraço, com alegria, com saudades – porque até mesmo cinco minutos parecem uma eternidade.

Se demora, que aflição. Mas até a espera é gostosa quando esperamos alguém que traz quentinho ao coração.
O relacionamento muda – de sexo, paixão, para amor.
Ou acaba, termina, cada um segue sua sina.
Ou fica para o resto da vida – quem sabe eternamente?
Esse eterno é no agora, no instante em que se forja.
Não é o anel no dedo nem o papel no cartório.
É acordar todo dia e perceber que continua vivendo a pura alegria de amar e ser amado.
De ter brigas e discussões que terminam num abraço.
Ninguém dorme de mal, de costas, de cara feia.
Ninguém fica muitos dias sem falar, com recado na geladeira.
Logo a mão sobre a mesa é tocada de leve com ternura.
Mantendo sempre o respeito, nunca se esquece que são dois sendo apenas um.
Obrigado, por favor, bom dia, boa noite, durma bem, sonhou, acordou alegre ou triste, precisa de chocolate ou de uísque? Juntos se reconhecendo em cada etapa da vida.
Podem seguir vivendo o amor no dia a dia.
Não é por ter jurado um dia.
É por jurar hoje, no agora, neste dia.

LIVRE-SE DA EXPECTATIVA DE PASSAR A VIDA PROCURANDO. VIVA A LIBERDADE DE TER SE ENCONTRADO.

E SE DECIDIR TER FELICIDADE EM DOBRO, AÍ SIM, DIVIDA.

@allandiascastro

EGO

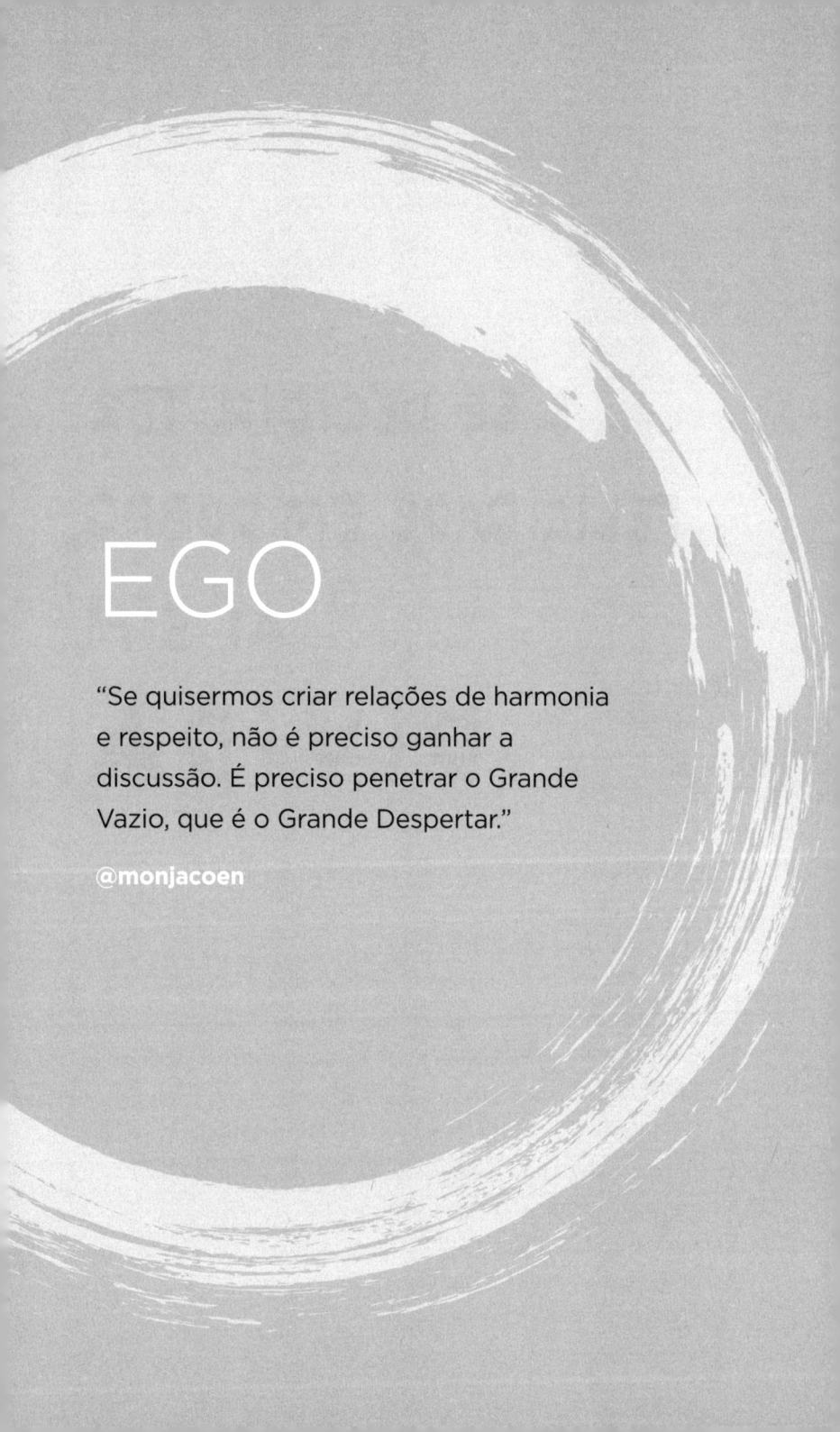

"Se quisermos criar relações de harmonia e respeito, não é preciso ganhar a discussão. É preciso penetrar o Grande Vazio, que é o Grande Despertar."

@monjacoen

O ESPELHO
Allan Dias Castro

Ganhando uma discussão, você só tem a perder,
Porque ganha, no máximo, um inimigo.
Quando o orgulho fala mais alto, ninguém escuta ninguém,
Por isso, vencer uma briga é perder do próprio umbigo.
E quando a raiva nos cega, é mais difícil enxergar:
Toda vez que eu não vou com a cara de alguém
É porque, em algum ponto, ele se parece comigo.

Sabe aqueles cachorros brigando com o espelho?
É disso que eu lembro sempre que alguém confunde
Defender um pensamento com perder a cabeça.
Porque seguir o que eu acredito
Não significa exigir que o outro me obedeça.

Quanto mais alto se levanta a voz, menor a convicção.
E digitar em caixa-alta não é ter uma grande opinião.

De tanto discutir com o espelho
Percebi que ser racional não é querer ter sempre razão.
E respeitar uma opinião não é o mesmo que concordar.
Do mesmo jeito que discordar não significa perder o respeito.

Então, hoje eu troco uma briga por trocar uma ideia.
Todo mundo tem alguma coisa pra ensinar
Nem que seja com seus enganos.
Errar é o que nos torna iguais,
Assumir o erro, mais humanos.

Por isso, antes de xingar, corrigir, discutir ou até dar conselho,
Vale a pena perguntar: Será que não estou falando com
o espelho?

* * *

SOBRE REAÇÃO E JULGAMENTO, vou contar uma história que aconteceu há alguns anos, mas que me faz rir até hoje. Uma amiga havia resgatado um pequeno pássaro que ainda não conseguia voar. Ele estava no chão, em um cercado de arame, até que se recuperasse. Busquei interagir com o animal tentando pegá-lo, mas toda vez que eu fazia isso o bichinho, que parecia acuado em um canto, readquiria um ímpeto de vida e vinha com todas as forças que lhe restavam bicar minha mão.

A partir dessa primeira impressão, disparei: "Nossa, como ele é agressivo!" Minha amiga então esclareceu, achando graça: "Não, Allan. Essa é a maneira que eu o alimento, botando alpiste na mão fechada para que ele se aproxime. Ele não é agressivo, só está com fome." Rimos juntos, mas fiquei me questionando quanto eu precisava trabalhar minha própria agressividade para não projetá-la em outras situações.

Depois que me tornei pai, ficou mais fácil lidar com opiniões externas. Assim que a frequência dos comentários – ou das famosas "críticas construtivas", inclusive de desconhecidos – começou a ser diária, percebi claramente quanto falar do outro é um eco de nós mesmos. Quando se tem o privilégio de conviver com um recém-nascido, a vulnerabilidade humana tem o poder de despertar uma força imensurável: o amor incondicional. Aquele ser completamente dependente à sua frente, sem palavra alguma, vai falar muito sobre quem você é, trazendo à tona sentimentos que nem sabia (ou lembrava) que tinha.

A gente aponta no outro o que enxerga na gente. Como nascemos repletos de lacunas que serão preenchidas com o tempo, um filho pode revelar de que forma encaramos nosso próprio vazio. Esse foi o ponto que me tranquilizou em relação às opiniões. O bebê não tem a intenção de aflorar no outro essas emoções, ele consegue apenas externar o que sente. A maneira como reajo diante dessa pureza exige uma responsabilidade enorme da minha parte. Por isso, o adjetivo que vier completar a frase "Essa criança é..." será reflexo de quem está fazendo o julgamento.

Não é por ter um sentimento em mim que precisarei passá-lo adiante. Por (re)conhecê-lo, poderei optar por escolher como elaborá-lo da melhor forma e agir de acordo com as atitudes que correspondem à etapa de minha trajetória pessoal neste momento.

A tranquilidade vem de perceber que, nessa busca baseada no respeito, não sou eu querendo derrotar ninguém, muito menos lutando contra mim mesmo – sou eu a favor da pessoa que um dia pretendo encontrar no espelho.

TUDO ZEN
O GRANDE VAZIO
Monja Coen

Certa ocasião, na Índia Antiga, cerca de 600 anos antes do nascimento de Jesus de Nazaré, uma pessoa se aproximou de Buda, que estava calmamente sentado em meditação sob uma árvore frondosa e cercado de discípulos e discípulas.

Esse senhor se aproximou e, em voz alta, com firmeza e nariz empinado, falou:

"Vim aqui para discutirmos a Verdade."

E Buda, levantando as pálpebras e vendo esse senhor nervoso, respondeu sorrindo:

"Se vamos falar a Verdade, não haverá discussão."

O poema do Allan também me lembrou um texto chinês do século VII que já citei aqui, *Samadhi do Espelho Precioso*, do monge zen Tozan Ryokai.

Nessa obra, na qual Mestre Tozan apresenta o processo da meditação profunda, ele comenta sobre o estado de *samadhi*, em que ocorre a transcendência do dentro e do fora, do eu e do outro.

É como olhar no espelho precioso
Onde forma e reflexo se encontram.
Você não é ele, mas ele é tudo de você.

Nos ensinamentos sobre o vazio de uma autoidentidade substancial independente e permanente, também é usada a analogia do espelho. Você não é a imagem do espelho, embora ela reflita o instante no qual você está se olhando ou passando por ele. Cada um de nós é formado por cinco agregados: corpo físico, sensações, percepções, conexões neurais e consciências.

Todos os agregados estão sempre em transformação.
Não apenas o corpo físico, que bem podemos perceber, mas também nossas capacidades de sensações, percepções, conexões neurais e consciências. Não há nada fixo, nada permanente.
Quando nossa imagem – dos cinco agregados – é refletida num lago, rio ou espelho, não somos nós, embora a imagem seja nossa.
Da mesma forma, o eu individual é considerado uma imagem refletida – ou seja, não é fixo, permanente, substancial ou independente. E qual é o eu verdadeiro que esse "eu" apenas reflete?
Na imagem do espelho, o reflexo é dos agregados.
Na imagem do eu, o reflexo é do vazio de uma autoidentidade independente, substancial, fixa e permanente.

Ou seja, ao acessarmos a realidade, notamos que estamos interligados a tudo e a todos, num processo incessante de transformação, e que não há nada estável ou permanente, separado e independente que possamos segurar e dizer: "Isso sou eu."
Esse é o princípio da compreensão da Grande Sabedoria, da Lei da Causalidade e da Vacuidade – selos do Darma de Buda.

Se quisermos criar relações de harmonia e respeito, não é preciso ganhar a discussão. É preciso penetrar o Grande Vazio, que é o Grande Despertar.

Sem braços de ferro, sem brigas, sem insultos – podemos dialogar, ouvir para entender e falar de forma amável e compreensível.

Por haver despertado, são verdadeiros o afeto e a compreensão.
Podemos encontrar meios hábeis para demonstrar nosso ponto de vista e, quando necessário, mudá-lo.
Isso é sabedoria.

Há também, no zen-budismo, um diálogo importante sobre dois monges que escreveram poemas nas paredes de um mosteiro na China.

Um deles, um dos monges mais antigos no mosteiro, o provável sucessor do Mestre, escreveu:

O corpo é a moldura,
A mente é o espelho.
É preciso limpar constantemente
Para que a poeira não se assente.

Pouco tempo depois, um praticante leigo, que separava a casca do arroz nas proximidades do mosteiro, foi levar o arroz para a cozinha e viu o poema na parede. Ele não sabia ler. Alguém leu para ele, dizendo que era um poema muito sábio.
Ao ouvir, ele pediu que escrevessem, ao lado, a sua versão:

O corpo não é moldura
A mente não é espelho.
Desde o princípio nada existe.
Onde a poeira se assentaria?

O abade passou pelo corredor e leu os dois poemas.

Sem dizer nada, foi até onde o leigo estava e o convidou a visitar seus aposentos à noite.

Quando o leigo chegou aos aposentos do abade, a lâmpada em sua mão se apagou com o vento.

O abade deu-lhe ensinamentos preciosos, entregou-lhe seu manto monástico e ordenou que fugisse imediatamente.

Essa pessoa tornou-se o sexto mestre ancestral na China e o 33º na linhagem desde o Buda histórico.

Mais tarde, tornou-se monge e transmitiu os ensinamentos a muitas pessoas, formando um grande grupo de seguidores.

Seu nome, em japonês, se lê Daikan Eno e, em chinês, Hui Neng.

Afinal, a mente é o espelho da realidade ou é a manifestação da realidade assim como é?

O corpo é apenas uma moldura para a mente ou o corpo é a mente viva, pulsante, recebendo e transmitindo sensações, percepções, conexões neurais e vários níveis de consciência?

Se desde o princípio nada existe – ou seja, se nada tem uma autoidentidade substancial independente e separada –, onde poderia qualquer obstáculo, qualquer grão de poeira se deter?

Esse nada, a vacuidade, o vazio dos cinco agregados chamado de *sunyata*, é a clara visão de que tudo está em constante transformação, movimento.

Nem espelho, nem moldura, nem corpo, nem mente, nem sujeira, nem pureza, apenas o Grande Vazio, onde nada jamais permanece o mesmo.

PONTOS DE ENCONTRO
Allan Dias Castro

Ao contrário do que muitos pensam,
Pedir ajuda não é desistir.
É ter desistido do ego para pensar em si,
É dar ouvidos ao que se sente em meio a tanto barulho.
Pedir ajuda é perder? Só se for o orgulho.

Pensa que a vida é corrida de revezamento.
Todo mundo tem momentos de força
E dias em que troca a tal força de vontade
Pela vontade de chorar.
Mas é aí que pedir ajuda é também uma maneira de se ajudar.
A gente diminui o passo, deixa a tristeza passar.
Aos poucos já sente que pode fazer algo por alguém,
E, sem perceber, a sua vida também se refaz.
Vence aquele que olha para a frente
Sem nunca deixar quem já ajudou a gente
Acabar ficando para trás.

Não se sinta derrotado por estar se sentindo perdido.
Nossos pontos de encontro são os mesmos sentimentos.
Você não precisa resolver tudo sozinho.
Lembra do revezamento.
Às vezes escuto, às vezes pergunto:
"E aí, vamos juntos?"

* * *

AQUELA MÁXIMA DE QUE a gente não precisa estar bem o tempo todo nunca foi tão real. Mas, enquanto esgotarmos as forças que nos restam mascarando nossos momentos de fraqueza, estaremos deixando de dar o primeiro passo em direção à libertação: admitir a derrota. Assim, a cada queda, poderemos recomeçar levantando a cabeça. O alívio vem quando tiramos os filtros e as máscaras, deixando cair também a necessidade de constantemente expor qualidades ou inventar uma vida perfeita, como se estivéssemos sempre em uma ilusória entrevista de emprego. Sim, a vida real acontece quando aposentamos aquela armadura de super-herói.

Eu tive o prazer de trocar ideias algumas vezes com o saudoso músico e letrista Marcelo Yuka. Em uma dessas conversas, lembro que chegamos até a poesia de Fernando Pessoa, comentando também sobre seus heterônimos. Yuka falou uma frase que guardei comigo: "Imagina as pessoas que enxergavam somente a figura aparentemente pacata, sem saber do superpoder que ele possuía." Achei lindo isso. Ter não a superexposição, mas a escrita, como um superpoder.

Eu nunca fiz poesia com a pretensão de dar soluções, mas já faz um tempo que percebi que escrever é algo que me cura. Isso ajuda a evitar que o ego insista em trazer para cada texto a necessidade de inventar um mundo perfeito. Trabalhar com os altos e baixos da realidade é o que me aproxima das pessoas. Está aí um superpoder que busco para minha vida: a coragem de oferecer o que também preciso.

TUDO ZEN
JUNTOS PASSAMOS
Monja Coen

Despertar para a vida é estar disponível e simples.

É ter medos, angústias, ansiedades, tristezas. É precisar de apoio.

O símbolo para *ser humano* em japonês é desenhado com duas linhas verticais inclinadas, uma apoiando a outra.

Estamos juntos nesta jornada.

Perceber a necessidade de apoio é perceber que quem pede também está dando apoio ao outro.

O que é dado, o que é recebido, quem dá e quem recebe, todos interdependem de todos.

Não é fraqueza.

É força.

É compartilhar a vida e procurar uma visão mais ampla das nossas necessidades.

Depressão é doença e precisa de tratamento.

Se você ficar mais de três dias sem querer se levantar – peça ajuda.

Como entrando em um redemoinho no mar, vamos precisar de apoio para poder nos salvar.

Assim é. Assim somos nós.

O ego, como definiu Freud, não é um vilão.

É nosso parceiro. Entretanto, podemos ser contagiados pelo egoísmo, pelo orgulho, pela vaidade pessoal – isso é se sentir separado, à parte das outras pessoas, superior.

Alguns se consideram inferiores aos outros. E há os que se consideram iguais.

Ninguém é igual a ninguém, nem superior, nem inferior. A mente da equidade é a mente desperta, a mente sábia. Essa devemos desenvolver.

Há um preceito budista:
"Não se elevar e rebaixar os outros. Não se rebaixar e elevar os outros. Não se igualar."

Equidade não é igualdade. É ter o mesmo valor, reconhecer a semelhança e respeitar cada criatura em cada momento da existência.

Algumas vezes alegres, outras tristes. Tanto na alegria quanto na tristeza podemos partilhar nossos sentimentos.

Compaixão significa estar com o outro, com a outra pessoa. Sorrir nos momentos felizes, chorar nos momentos tristes. Estar junto. E sempre lembrar um ao outro que nada permanece o mesmo. Tudo passa. Juntos passamos com mais leveza e afeto.

Cada um, cada uma de nós é único e ao mesmo tempo semelhante a todos os outros seres humanos.

Pertencemos à mesma espécie biológica. Há diferenças genéticas, diferenças culturais, étnicas e mesmo de valores e princípios. Mas somos semelhantes e podemos nos reconhecer em qualquer outro ser humano – tanto na alegria quanto na tristeza, tanto no contentamento quanto na insuficiência. Também podemos nos treinar, podemos desenvolver e estimular a consciência sábia, compassiva, capaz de humildade, paciência, resiliência e transformação.

Cada um de nós é responsável pela realidade que vivemos e que transformamos com nossa presença, nossa fala, nossos gestos e pensamentos.

Procurar apoio e ajuda, partilhar dúvidas e certezas, verbalizar e receber apoio ou críticas é o caminho da maturidade e da sabedoria.

Agora, escolha bem, saiba discernir com quem vai compartilhar suas questões mais íntimas para não ser manipulado.

O discernimento correto nos conduz a escolher a pessoa certa e confiável para abrir o coração e acolher o olhar – diferente do nosso, que talvez esteja tão envolvido no drama que não seja mais capaz de ver com clareza. Alguém isento de intenções. Alguém capaz de ouvir, entender e fazer com que você mesmo entenda, ouça e decida livremente.

Muitas vezes também é preciso reaprender a ouvir para entender a pessoa mais próxima e íntima de nós. Meditar e compreender a si mesmo, compreender o funcionamento da própria mente é expandir esse olhar profundo e íntimo a todos os seres.

Com prudência e sem medo, escolha a vida com plenitude, liberdade, amor e respeito.
Não discuta a relação com muita frequência.
Deixe para momentos sagrados e profundos, em que am-

bos e todos na família, na casa, possam crescer juntos e se aprofundar na verdade e no caminho.

Sabedoria e compaixão.

Repetindo as palavras de Amit Goswani: basta trocar uma letra e o ego se torna eco... Lembre que somos um ecossistema vivo e pulsante. Aprecie a vida.

RESPEITAR UMA
OPINIÃO NÃO
É O MESMO
QUE CONCORDAR.

DO MESMO JEITO
QUE DISCORDAR
NÃO SIGNIFICA
PERDER O RESPEITO.

@allandiascastro

PERDÃO

"Quando transcendemos nosso eu menor, somos capazes de compreender – o que é mais adequado do que perdoar."

@monjacoen

PAPO DE MONGE
Allan Dias Castro

Você não consegue perdoar alguém
Porque ele não se arrependeu?
Espero que não se arrependa
Do tempo que perdeu.

Se parar para pensar,
São coisas diferentes.
A culpa pode estar no outro,
Mas o perdão está na gente.

Não digo que seja fácil.
Às vezes é mais difícil perdoar
Do que pedir desculpas.

Talvez seja este o desafio:
Resolver o problema
Ou se curar do que te machuca.

Até quando você vai conviver com esse vazio
Que vem do espaço imenso que a mágoa ocupa?

Por mais que pareça papo de monge,
Tem pessoas de quem é melhor se afastar
Do que mandar para longe.

A melhor resposta é a consciência tranquila.
Tire o peso das costas
E, quando partir,
Não leve o passado na mochila.

* * *

COMO PERDOAR ALGUÉM que não se arrependeu? Eu fiquei com essa pergunta na cabeça por um longo tempo antes de começar a escrever esse poema. Mesmo sabendo que o budismo não fala especificamente sobre perdoar, lembro que resolvi manter a expressão "papo de monge" no título e no texto para trazer uma abordagem mais coloquial e um tom mais leve ao assunto.

O poema surgiu da vontade de ilustrar aquelas situações em que, a partir do nosso ponto de vista, algumas atitudes das pessoas com as quais convivemos parecem exigir o arrependimento delas. E, como consequência disso, esperamos que resultem num pedido de desculpas. E quanta vida passa enquanto aguardamos esse momento?

A grande armadilha dessa expectativa é não percebermos que ficamos estagnados, suportando um peso enorme, fruto do tão esperado reconhecimento de culpa, quase como se precisássemos de um aval dos alvos de nosso rancor para seguir adiante. Estaremos carregando o passado em nossa mochila até nos darmos conta de que confrontar alguém exigindo que peça perdão é tão incoerente quanto ineficaz, pois todo reparo sincero de um passo em falso é resultado de um inventário de reflexão muito pessoal. Por isso, também é necessário repensarmos nosso posicionamento diante da situação, avaliando se não estamos presos à mágoa decorrente de um julgamento prévio e unilateral.

A partir dessas percepções elucidadas internamente, poderemos assumir nossa responsabilidade em relação aos nossos sentimentos e, assim, encontrar alternativas que nos façam acelerar o processo de resolução em situações semelhantes.

Como desafio nesse poema, sugeri duas opções que busco praticar pessoalmente: resolver ou me curar do que me machuca. Resolver seria, depois de um afastamento inicial para acalmar os ânimos, procurar a pessoa para um diálogo franco no qual eu expressaria meu incômodo, sem tom de superioridade, apenas tentando entender a situação por um ponto de vista diferente e seguir adiante.

Caso essa conversa não fosse possível por alguma razão, eu partiria para a opção de buscar me curar do ressentimento. Ambas têm apenas um objetivo: deixar de pensar que é natural conviver com o vazio que uma questão não resolvida – e todas as suas consequências – ocupa dentro da gente. Até quando? Talvez até que consigamos enxergar que, na luta contra o orgulho, vence quem já perdoou.

Sei que falando parece simples, mas há quem passe a vida preso a uma situação antiga. Meu objetivo com o "Papo de monge" nunca foi dizer que é fácil manter a leveza em nossos relacionamentos, e sim lembrar (a mim mesmo, muitas vezes) que um problema não desaparece só porque o passamos adiante e que ignorá-lo não significa resolvê-lo. Dissolver essa mágoa é como estancar a sangria de uma ferida aberta que drena nossa presença aqui e agora.

O alívio virá de percebermos que o perdão e a cura estão sempre na gente. Por isso, nossa tranquilidade terá apenas um parâmetro a seguir: a consciência.

TUDO ZEN

NÃO ME PERDOE
Monja Coen

A mágoa é filha do ego. Quando transcendemos nosso eu menor, somos capazes de compreender – o que é mais adequado do que perdoar.

Perdoar é colocar-se acima da outra pessoa.

Compreender é estar junto, é entender o porquê da manifestação.

É procurar o caminho da cura.

Ficar remoendo o passado?

Geralmente numa briga, discussão, quando estamos quentes e bravos, falamos coisas para ferir e ofender.

Depois, já estamos em outro momento.

Há pessoas rancorosas: "Nunca vou esquecer o que você me disse!"

Ninguém está pedindo o esquecimento, mas que se mova para o novo momento.

Houve um estresse.

Houve um desabafo.

Teria sido para você mesmo ou a pessoa estava cansada, aflita, irritada com a vida?

Será que aquela briga não era símbolo de uma intimidade tão grande que os dois perderam a censura e falaram até mesmo o que não pensavam?

Reflita em profundidade.

Seja capaz de entender e procurar meios hábeis para abrir o caminho ao amor, à amizade, ao carinho que os fez se aproximarem um do outro.

Há traições graves, entre amigos, sócios, casais.

Há a capacidade de entender e desmanchar a sociedade, afastar-se do amigo ou divorciar-se.

Mas que tudo seja feito com grande dignidade.

Compreender não significa aceitar uma forma de ser e de pensar que seja maléfica, prejudicial.

Como escreve o Allan, vamos adiante, com a mochila leve, sem carregar rancores e mágoas.

Há o caso de Bodaidaruma, monge que foi da Índia para a China.

Ele foi recebido pelo imperador, mas não se entenderam.

Mais tarde, houve um comentário sobre o encontro:

"Deixou cair o pote, sem olhar para trás."

Que expressão extraordinária.

Aqui no Brasil dizemos "não chore pelo leite derramado". Se falharmos, podemos pedir desculpas, porém mais importante do que isso é tomar cuidado e não repetir o mesmo erro.

Eu falho, tu falhas, ele falha.

Não somos seres perfeitos.

Podemos aprender corrigindo as falhas. Alguns criam vícios, hábitos pouco saudáveis, e precisam de muito tempo – mais de cinco anos – para, com grande esforço e apoio de várias pessoas e grupos, se transformar.

Tudo está se transformando.

Quem olha para trás bate de frente no poste.

Vamos adiante.

Resolvemos a questão e aprendemos alguma coisa nessa relação, não foi?

A ternura, o respeito, o carinho não morrem por causa de uma palavra mais dura.
Mas, cuidado. Quem ofende com palavras pode um dia se descontrolar mais ainda e agredir.
Quem agride pode se descontrolar e matar.
Mantenham-se atentos.
Não é perdoar, desculpar, aceitar.
É exigir respeito e refazer um relacionamento que quase, por um fio, se perdia.

É preciso encontrar esse ponto: compreender, mas não aceitar qualquer forma de abuso.

Refletir e fazer com que todos reflitam sobre a intimidade, que, de tão íntima, pode perder a cordialidade, o respeito.

Sempre é necessário manter uma distância saudável.
O outro é o outro, com necessidades diferentes das suas.
Mas também se magoa, se entristece.
Liberte a si e aos outros do excesso de drama para que todos possam viver com mais leveza e alegria.
Isso é possível.

Não me perdoe nunca.
Peço que me compreenda e me acolha, assim frágil, fraca e tola.
Ajude-me a não repetir meus erros.
Esteja comigo, não me abandone.
Mas não me perdoe.

O seu perdão é um ato de solidão e separação.
Compreenda.
Aceite.
Acolha.
Agradeça e transforme a mim mesma comigo.

ORAÇÃO
Allan Dias Castro

Peso de pluma, de algodão,
Leve por não levar,
Deixe o passado onde está
Não leve mais pesar.

Perdi o medo do perdão,
Sem culpa nem culpar.
Fiz do agora
O meu lugar,
Minha oração.

Sinto muito. Me perdoe. Eu te amo. Sou grato.

* * *

ESSE POEMA FOI FEITO a partir de uma melodia que recebi do cantor e compositor Tiago Corrêa, meu parceiro no projeto musical Reverb Poesia. Eu lembro de ter usado a palavra "oração" por perceber o poder de algumas canções que tocam nossas vidas como verdadeiras preces e são capazes de mudar o humor e reorganizar nossos sentimentos. Era essa a calma que eu buscava, a que é fruto da percepção de que os erros moram no tempo e que olhar para a frente é escolher não visitá-los. E não se trata de esquecimento, mas, talvez, de aprendizado.

A ideia foi buscar nas sensações a tradução de uma experiência de plenitude, quase como uma pausa, um relato de alguém que está mergulhando no próprio alívio naquele exato momento. Sem interromper o processo, é como se eu perguntasse: "O que você está sentindo agora?" Mais do que a resposta, conhecemos também o roteiro até esse *recorte* de emoções.

Eu finalizei a poesia trazendo as frases da técnica Ho'oponopono, um dos passos que conheci na minha caminhada e que traz leveza a quem busca fazer as pazes com sua própria história. Por isso pensei no poema "Oração" como um exercício de presença. Toda vez que alguém ler, ouvir ou falar esses versos, estará onde procuro me manter: longe do tempo da mágoa e livre das expectativas. É nesse respiro que um sorriso encontra em mim o seu lugar.

TUDO ZEN

A LINHA, A TELA, O TEAR

Monja Coen

Poder orar, reconhecendo nossas faltas e nosso amor.
    Agradecer até mesmo o desencontro e a dor.
    Pois se tudo não fosse assim como é, como seria?
    Sem carregar mais peso do que a atmosfera.

    Lembro de Carlos Drummond de Andrade dizendo:

Teus ombros suportam o mundo
e ele não pesa mais que a mão de uma criança.

    Que doçura, poder orar e amar, agradecer, compreender e nunca ofender.

    Nossa vida é como uma tapeçaria que estamos tecendo.
    Houve momentos em que nem percebíamos ser a linha, a tela, o tear.
    Hoje sabemos.
    Talvez tenha ficado um ponto invertido. O avesso ficou do lado direito.
    Há marcas na nossa trajetória.
    Mas se tudo não houvesse sido como foi, não seríamos quem somos agora.

    Rever o passado no presente.

Já não somos mais quem fomos.
Tudo está em constante fluir – impermanência.

O que aprendemos na jornada?
A escolher melhor as linhas, as formas e estar atentos.
Meditação, plena atenção, conhecimento – dão leveza.

Quem sabe?
Pode ser que façamos outro erro.
Dos antigos podemos ter aprendido, pois repetir os mesmos erros não leva a aprendizado, mas a um vício, uma falta de preparo.

Rever e reaprender, transformar e agradecer.
Agradecer até mesmo o trauma, a dor, o desconforto, o desamor que nos traz aqui e agora para sermos quem somos.
E somos um processo constante em transformação, gerando a nós mesmos, tecendo a nossa vida.

Faça-o com cuidado e respeito.
Procure a beleza e a verdade.
Arrependa-se, cure as feridas da jornada – sua e de quem encontrar.
Agradeça.
Aprecie sua vida.

TIRE O PESO
DAS SUAS COSTAS
E, QUANDO PARTIR,
NÃO LEVE O
PASSADO NA
MOCHILA.

@allandiascastro

MEDO

"Prudência é virtude, não medo."

@monjacoen

O QUE EU TENHO A OFERECER?
Allan Dias Castro

Quantas chances a gente perde
Quando pensa só no medo de perder?
Só que, para perder esse medo,
Eu mudei uma só pergunta
Que muda a forma como a vida vai responder.

Eu troquei: "O que eu vou ganhar com isso?"
Por: "O que eu tenho a oferecer?"
Por mais que possa parecer generosidade,
Sem focar no que está faltando,
Quem acaba ganhando, na verdade,
É você.

Focando só no "que eu vou ganhar com isso",
Quantas vezes você adiou um convite,
Desmarcou um compromisso,
Recusou uma proposta
E deixou de fazer até o que gosta?

Quantas vezes você esperou que fosse exatamente
Como nas planilhas, nas listas,
Ou como a razão demonstrava,
E mesmo sendo calculista,
A conta ação mais realização não fechava?

É que a vida não é só esperar.
Quando a gente oferece,
Pode ser melhor do que a gente esperava.

Repare que as pessoas que perguntam
"O que eu tenho a oferecer?"
Vivem a tranquilidade de que nada falta
Porque não buscam nada fora.
Não é no medo que a sua verdade mora,
É na satisfação de quem, mais que ter o que merece,
Fez por merecer o que tem,
Por isso agradece, aceita e oferece.

O que você vai ganhar com isso?
Não espere o medo responder.
Mude sua pergunta
E ofereça para receber.

* * *

PERDER O MEDO OU MAIS UMA CHANCE? Nesse poema, eu pensei em tudo que a gente deixa de viver por focar no que pode deixar de ganhar, sem perceber o tanto que já está perdendo por nem ter tentado.

Eu acredito que toda pessoa que dividiu com alguém a ideia de começar um projeto que considera arriscado ou até mesmo de desengavetar um sonho antigo, em algum momento, já ouviu – talvez dela mesma – a pergunta: "Mas o que você vai ganhar com isso?"

Muitas vezes me fiz esse questionamento na fase em que estava confuso profissionalmente. Por mais que já estivesse há bastante tempo focando na escrita, eram raras as vezes em que conseguia transformar prazer em motivação para começar um texto. Ao desacreditar a minha produção autoral, sentia como se estivesse me vendendo por um salário e acabava confundindo ganhar a vida com perder a minha. Eu estava vivendo aquele círculo vicioso de deixar o tempo passar esperando a hora certa, e não me sentia pronto para lançar meu primeiro livro ou escrever minhas músicas; afinal, o que eu ganharia com isso?

Quando notei que estava perdendo oportunidades pelo fato de o retorno não parecer imediato, assumi quanto eu estava me limitando pelo medo de perder o que tinha, por mais que não fosse o que sempre sonhei. Essa percepção inspirou a troca sugerida no poema. Quando mudei a pergunta para "O que eu tenho a oferecer?", cheguei à resposta do que de fato me deixa feliz, independentemente de resultados: transformar experiências em texto.

Foi assim que, mesmo no furacão da agenda lotada de desculpas, busquei pelo menos alguns minutos do meu dia para simplesmente me dedicar a escrever para mim. Aos poucos fui me abrindo às possibilidades que surgiam a cada texto oferecido nas redes sociais, em saraus de poesia e nos demais espaços em que fui me inserindo para divulgar meu trabalho. É incrível como a prática diária de algo, nem que seja por menos de uma hora, tem resultados mais surpreendentes do que passar anos apenas reclamando.

Dessa simples iniciativa de dar vazão ao que me dá prazer, hoje recebo a satisfação que sempre busquei: fazer para viver algo que também faz com que eu me sinta vivo.

TUDO ZEN

DAR UM PRESENTE E DAR DE VERDADE

Monja Coen

A palavra *paramita* significa completar a travessia, chegar à outra margem, atingir a perfeição e também a própria perfeição.

No budismo, como expliquei anteriormente, há seis *paramitas*, e a primeira delas é a doação.

Dana Paramita é dar, doar sem intenção de receber nada em troca, sem expectativa de ganho.

Doar seu tempo, seu olhar, seus ouvidos, seu pensar.

Doar sua atenção, sua vida, seus sentidos.

Doar sua presença de tal forma que a ausência fique esquecida com a sua chegada.

Dar um presente e dar de verdade.

Que a pessoa faça o que quiser com ele.

Pode dar a outra pessoa, pode guardar escondido, pode deixar esquecido em um canto qualquer.

Quando damos ou doamos de verdade, aquilo já não nos pertence mais.

Há quem doe um rim e depois cobre de quem o recebeu que cuide dele direito. Por quê? Doou ou ficou sendo ainda senhor ou senhora do rim que já não é mais seu?

Você é capaz de se dar sem esperar retorno algum?

Ou só cuida de quem o respeitar e amar?

Será que consegue perceber do que a outra pessoa precisa?

Ou só percebe o que você quer ganhar?

O oposto da ganância é a doação, o compartilhar.

Durante a pandemia, muita gente doou pão, leite, água, carinho, roupas, empregos, dinheiro, silêncios, reclamações.

Solidariedade.

Alguns, para ter vantagens, para serem reconhecidos, para se sentirem bem.

Outros, para fugir do fisco, da vergonha de ter tanto e nunca compartilhar.

Alguns, por gratidão, por respeito e identificação.

Há várias razões para grandes doações.

Eu gostaria de ver as grandes fortunas internacionais se unindo para comprar vacinas e doar. Doar aos países pobres e emergentes.

Imaginem se o Brasil ganhasse de graça todas as vacinas necessárias.

Imaginem se o dinheiro gasto na compra de vacinas fosse usado para levar saneamento básico, eletricidade e internet aos rincões mais afastados?

Imaginem que essa verba de vacinas fosse usada para melhores atendimentos hospitalares e grandes campanhas de prevenção?

Talvez houvesse menos mortes e menos contaminação.

Um dia será assim.

Haverá consciência global, expansão da mente humana, capaz de cuidar e repartir sem esperar retorno.

Sair do egoísmo fatal e adentrar o ecossistema global.

Que bonito.

Todos juntos, unidos, pelo bem de toda a gente.

Alimentos, fartura, medicamentos, educação, trabalho, poesia, arte e simpatia, amor e ternura, reconhecimento e identificação de sermos todos uma única família e nos tratarmos melhor do que se tratam os irmãos e as irmãs.

É possível.

Não é sonho nem fantasia.

Quando doamos, ganhamos.

Quando retemos, perdemos.

Quem perde ganha – ensinava meu pai, quando nas férias via as crianças jogando juntas. Quem perdia emburrava.

E lá vinha o pai com a frase sábia e sagrada: "Quem perde ganha."

Assim todas ganhávamos.

A sensação da vitória e a sensação da derrota – uma depende da outra.

Imagine um mundo sem vitórias e sem derrotas.

Um mundo compartilhado, de cooperação amistosa.

Ganhando todos juntos ou perdendo todos juntos.

Um grande time.

Um grande planeta.

Aquele azul, em volta do Sol – estrelinha velha de quinta grandeza.

O SEGURO MORREU DE TÉDIO
Allan Dias Castro

Dizem que existem dois tipos de pessoa,
As que viveram e erraram muito, e as que não.
Não erraram? Não, não viveram.
Quando o medo de errar é maior do que a vontade,
Ceder a esse sentimento é matar uma oportunidade.
E de oportunidade em oportunidade perdida,
A gente morre antes da própria morte, em vida.

Tem aquela história de que um homem na areia
Olhando de longe um pescador,
Avaliando as atitudes, julgando o desempenho,
Esperou ele se aproximar e falou:
"Se eu estivesse no seu lugar, faria diferente.
Se eu ensinasse, você aprendia, mas não está pronto,
Seu equipamento não é apropriado e
Aqui da areia dá pra ver: está fazendo tudo errado."

Mas o pescador gostava era do mar
Ele agradeceu e não respondeu, porque já sabia.
Dar opinião aqui de fora é como jogar a rede na teoria:
Vai cheia de razão, mas, na realidade, volta vazia.
O pescador preferia a incerteza de não saber se iria voltar
À garantia de quem já morreu na praia
Por medo de morrer no mar.

Ele dizia:
"Já que vida é um mergulho profundo,
Vamos mergulhar!
Sem raso, morno, médio.
Talvez não seja o mais seguro,
Mas o seguro morreu de tédio.
Vamos mergulhar!"

E quem sabe o mergulho seja mesmo no escuro.
Por isso, pro pescador, cada segundo de vida contava,
Por saber que com o futuro nem sempre se pode contar.

Por isso eu gosto de quem gosta do mar,
De quem não assiste à vida na areia.
Não existe meia vontade.
Ou a gente erra e aprende,
Ou viveu pela metade.

Não deixe o medo te afogar.
Vamos mergulhar!

* * *

A VIDA NÃO ACONTECE NA TEORIA. Você tem medo de errar? Todos temos. Mas ceder constantemente a esse medo é o que nos faz nos acostumarmos com uma vida rasa, ou seja, distante de onde realmente gostaríamos de estar. A eterna espera por coragem para finalmente nos sentirmos vivos nos torna reféns das possibilidades. Por isso, neste poema eu quis atentar que, sim, o seguro morreu de velho – mas morreu. E, caso tenha preferido a certeza de quem já morreu na praia por medo de morrer no mar, arrisco dizer que foi de tédio.

Muitas vezes eu confundi tentar com fazer. Para deixar clara essa diferença, eu sempre relembro um trecho de um poema meu chamado "Espaço", que diz assim: "O maior risco de tentar alguma coisa que não é exatamente o que você gostaria é conseguir." Lembrando que o oposto também acontece. Há quem tema realizar o que realmente deseja. Justamente esse medo é o que nos paralisa na seguinte ilusão: o que a gente não quer sempre parece mais fácil de alcançar. Essa é a questão: e se o "quase" der certo? Quanto tempo você aguentará passar na consolação de uma vida morna? O parâmetro será a sua vontade.

TUDO ZEN

AS ONDAS DA VIDA
Monja Coen

O maior presente que podemos nos dar e oferecer a alguém é o não medo.
Prudência é virtude, não é medo.

Quem passou pela vida em branca nuvem, quem não sentiu o frio da desgraça, só passou pela vida.
E não viveu...

É doce morrer no mar,
Nas ondas verdes do mar.

Mergulhar fundo.
Meditar começa por perceber as marolas na beira da praia.
Mas é preciso molhar os pés, as pernas, a barriga, as costas – e se atirar.
Atirar-se na onda, na espuma, por baixo ou por cima.

Depois ir mais fundo, para quem sabe nadar.
Mergulha no salgado mar – útero materno –, redescobre o prazer de se dissolver, deixar de ser quem pensava ser para ser quem é.
É simples assim.
Pega onda, pega jacaré.
Surfa, mergulha nas profundezas.
Vai até onde não há mais luz, não há mais cor.
Não fica aí.

Sobe devagar, sem pressa para não se asfixiar.
Como na hora de nascer.
Vai saindo devagar.
Mundo novo.
Tudo diferente.
Num impulso tira a máscara.
Inspira o ar.
Expira e nada, lentamente, devagar.
Volta à praia e reencontra o pescador costurando a rede que algum bicho estranho furou.
Não importa quem foi.
Importa refazer a tessitura da rede.
E, quando ele puxa a rede no mar, vem tudo junto, inclusive os buracos abertos, vazios, cobertos de algas, peixes, sonhos, sol e vento, ar e água salgada.

Cada onda é única e se movimenta sem parar.
Sem nunca deixar de ser onda, também não deixa de ser mar.
Morre na praia, se acaba na areia e retorna água para formar outra onda.
Nunca a mesma.

Assim são os mergulhos no processo de meditar.
Quem está de fora, observando, pensa que precisa melhorar a postura, a cadeira, a almofada, a roupa, o banquinho. Entretanto, sem saber, sem ter ido, sem jamais ter chegado a esse lugar, nem percebe que a pessoa sentada, como quem não faz nada, estava nas profundezas da mente.
Trazendo impresso em cada célula a autenticação do *samadhi* do mar.

Quem quer ir comigo ver o grande peixe das regiões abissais, sem luz, sem cor, mas com certeza, com vida até não poder mais?

Quem quer vir encontrar a si no mais íntimo e surfar livremente junto com as ondas da vida? Sem oposição, mas na dança equilibrada de se tornar um com e em cada virada.

Água salgada.

O PESCADOR PREFERIA A INCERTEZA DE NÃO SABER SE IRIA VOLTAR À GARANTIA DE QUEM JÁ MORREU NA PRAIA POR MEDO DE MORRER NO MAR.

@allandiascastro

RESILIÊNCIA

"Resilientemente vivemos,
sem desistir de nós mesmos."

@monjacoen

O MAR ENSINA
Allan Dias Castro

É preciso remar.
O mar ensina:
Paciência aos que têm pressa,
Equilíbrio aos que já caíram,
Mas não deixaram de remar.

Para ganhar o mar,
É preciso perder o medo
E manter o respeito.

Mas é preciso remar.
O mar ensina:
É possível encontrar
A liberdade entre suas correntes.

Mas é preciso remar.
O mar ensina:
A maré de sorte só chega para quem
Entende que os ventos mudam de direção
E por isso não deixa de remar,
Porque ninguém aprende
A nadar na areia.

O mar ensina.
Mas é preciso remar.

Eu só peço fôlego
Para vencer a arrebentação
E entender que isso não significa
Competir com o mar.

Fôlego!
Para receber o mar.
Basta perceber a entrada, pedir licença
E aí, sim, ser recebido pelo mar aberto.

Fôlego!
Para lembrar que ondas e lágrimas
São feitas de água salgada.
Fôlego!
Para transformar tristeza em mar.

E se o caminho for longo?
Fôlego!
Para remar na volta.
Fôlego!
Para voltar a remar.

***

O MAR É UMA PAIXÃO e o surfe é um desafio. Por isso, os versos desse poema surgiram inspirados em minhas primeiras aulas em cima de uma prancha, sentindo o sal na pele e aprendendo a transformar resiliência em fôlego. Acabei levando esse aprendizado também para a minha vida. Foi este o objetivo de "O mar ensina": provocar em cada um que o escuta ou o lê aquele respiro de ânimo que evita o arrependimento que aparece quando a gente desiste de alguma coisa.

Ao lembrar que os ventos sempre mudam de direção, restabelecemos a calma para enxergar além do momento de adversidade. O suspiro de alívio será daquele que não deixou de remar nas situações mais cruciais, encontrando a liberdade entre as suas próprias correntes. Se eu tivesse que resumir essa travessia em apenas uma palavra, seria: "Rema!"

Sempre que declamo esse poema ao vivo, peço ao público que se lembre dessa palavra toda vez que estiver prestes a desistir de algo que quer muito ou naqueles momentos em que, pelo fato de a maioria já ter voltado para a areia, a única alternativa parece ser desistir de vencer a arrebentação.

Para ilustrar, proponho que, enquanto eu estiver falando o texto, cada um repita "rema" em voz alta, para chegarmos juntos até o final. "Rema!" "Rema!" "Rema!" No início, o coro de vozes é de arrepiar. Já na metade do poema, o tom baixa, porque alguns já desistiram, o que estimula ainda mais pessoas a irem parando também. São poucos os que seguem com a mesma empolgação até o fim ou até mesmo a aumentam ao longo do trajeto.

Um pouco antes de acabar, eu relembro o pedido inicial e o resultado é sempre incrível: as vozes voltam a surpreender e enchem a sala de fôlego. Assim é na vida. A gente chega mais longe quando rema junto. Sim, o mar ensina a remar, mas é preciso humildade para aprender, paciência para manter o foco, equilíbrio para não desistir nas primeiras quedas e, claro, respeito em todas as situações. Rema!

TUDO ZEN
UMA GOTA D'ÁGUA
Monja Coen

Nesta vida não aprendi a surfar.

Sou capaz de pegar jacaré, sem prancha, vou de corpo inteiro batendo os braços e os pés antes de me soltar, com força e ritmo acelerado, brincando de competir com as ondas do mar.

Antes de a onda quebrar, nado forte e depois deslizo, cabeça dentro d'água, e me deixo levar em unicidade com a força do mar.

Eu não tenho medo do mar. Eu respeito o mar. Há praias conhecidas e desconhecidas. Há praias de tombo e praias que dão tombo na gente, quebram vértebras e causam danos.

Respeito e observo antes de entrar. Está puxando para que lado?

Maré crescente ou vazante? É preciso conhecer. Conhecer é amar.

A gente não ama o mar sem o conhecer, sem sentir seu cheiro, ouvir seu choro e seu murmúrio, seu pranto e seu gargalhar. O mar está vivo e pulsa. Também expulsa.

Um jovem pescador saiu antes do amanhecer com seu pai.

No barco, no meio do mar, longe das grandes ondas, jogaram a rede e sentaram a esperar. De repente, sem saber de onde nem por quê, começou tudo a girar. O barco subindo e descendo, ondas enormes inundando tudo, enquanto o filho puxava as cordas. O pai caiu no mar.

Escuro. Ele ainda viu seus braços no ar. Colocou o arpão para que ele se apoiasse e voltasse ao convés. Não conseguiu. O pai sumiu na escuridão das águas. De repente o céu foi se abrindo, as nuvens escuras se afastaram e a Lua cheia, brilhante, prateou o céu e as águas.

O jovem, chorando por não ter conseguido salvar seu pai, lembrou-se de um monge zen que dissera: "A mente deve estar tão tranquila que a Lua nela se reflita perfeitamente circular."

Assim foi naquela noite.
Lua no céu e Lua no mar.
O jovem voltou à praia. Deixou o barco e subiu à montanha onde ficava o mosteiro zen. Foi ordenado alguns anos depois. Embora não fosse muito letrado, em pouco tempo se tornou abade. De todas as partes da China Antiga vinham praticantes procurá-lo. À pergunta principal, ele sempre assim respondia:

Tudo que há no céu, na terra e no mar é uma joia arredondada.
Sem dentro nem fora. Somos a vida dessa joia. Não viemos de fora nem iremos para fora.

Seu nome era Gensha Shibi, viveu no século VIII.
Hoje a ciência confirma. Somos a vida da joia, do ecossistema, onde tudo está interligado. Coexistimos e nunca saímos ou entramos, pois sempre *intersomos*.

Você não precisa assistir à morte do seu pai para despertar.
Nas noites de Lua cheia, silencie e observe. Algumas vezes, há nuvens que fazem desenhos no céu. Há tantas possibilidades. Algumas noites a Lua está encoberta; noutras, comple-

tamente nua na perfeição de um círculo em que nada falta e que nada excede.

Lembre-se de colocar as mãos palma com palma e recitar:

Todo carma prejudicial alguma vez cometido por mim,
Desde tempos imemoriáveis
Devido à minha ganância, raiva e ignorância sem limites,
Nascido de meu corpo, boca e mente,
Agora, de tudo, eu me arrependo.

O arrependimento nos purifica e a toda vida da Terra.
Repita três vezes e se comprometa a não repetir os mesmos erros, a não fazer o mal e a fazer o bem a todos os seres.

Assim vamos remando, nadando, surfando, vivendo e transformando ao nos transformarmos numa gota d'água de uma onda do mar.

PACIÊNCIA
Allan Dias Castro

Aquele que espera uma última chance
Já desistiu.
Só quem construiu algo na vida
Sabe que nada nasce pronto.
E este é o ponto:
É preciso recomeçar várias e várias vezes.
E a cada vez que você não para,
O tempo faz da espera, experiência.
E o caminho?
É passo a passo e paciência.

Toda história de desistência
É como um livro sem as páginas finais.
Pra que o último capítulo não se chame "quase",
Você vai ter que escrever mais.

Pra não ficar o resto da vida contando que quase foi,
Que quase voltou
E quando foi voltar, já não dava pra ir.

Não é insistir numa última chance.
É continuar tentando
Até conseguir.
Eu prefiro os nãos de cada tentativa do passado
A uma única desculpa como justificativa
De não ter tentado.

Então vire essa página do "quase"
E troque o peso do arrependimento
Pela leveza das folhas em branco.
Se a sua história não acabou como você gostaria,
Que o ponto final seja uma interrogação.
Vamos recomeçar?
Assim, lá no fim, o que conta é a sua vontade.
Não é a última chance,
São muitas possibilidades.

* * *

FELICIDADE TEM VALIDADE, mas não tem prazo. Foi a essa conclusão que cheguei quando parei de botar uma data-limite para que os resultados do meu trabalho começassem a aparecer. Quando me mudei de Porto Alegre para o Rio de Janeiro em busca de viver da escrita, lembro que pensava assim: tenho seis meses para as coisas darem certo.

O tempo passava e, por maior que fosse o progresso alcançado, a resposta era sempre frustração. Mais um ano transcorria e, sem ter compreendido que sucesso é consequência, não objetivo, cada vez aumentava mais a minha angústia, por querer que, de um dia para o outro, tudo mudasse significativamente.

Muita gente fala que é preciso saber a hora de parar, entender o momento de desistir. Eu entendi que é preciso parar de querer desistir a todo momento. Até porque "dar certo" ou "ter sucesso" são, no meu ponto de vista, conceitos muito relativos e pessoais. Se minha felicidade dependesse de resultados externos, eu ainda estaria esperando por ela eternamente, mesmo já tendo "chegado lá" – seja lá onde fique esse tal lugar.

A busca imediata por corresponder a esses termos tão vagos nos faz abandonar a construção de algo que seja não só o que a gente faz, mas aquilo que nos faz ser quem a gente é. Desde muito cedo, a escrita me faz ser quem eu sou, e talvez o mais frustrante seja interromper a procura depois de já ter descoberto quem você é. Para não me abandonar, precisei trocar a cobrança da última chance pela amplitude de uma nova tentativa. E mais outra. E mais quantas fossem necessárias para me manter em movimento.

Foi aí que a frustração virou aprendizado. Não importava o tempo que levasse para eu chegar aonde gostaria: estar no caminho já era extremamente válido, pois significava ter tido a coragem de dar os primeiros passos anos atrás. O resto seria continuidade e resiliência.

Eu tinha muito medo de a minha história pessoal acabar no capítulo "quase". Sabe aquele "quase" entalado na garganta? Mas a gente respira aliviado quando se livra da rigidez de querer controlar como as coisas deveriam ser, quando digere os nãos que escuta ao longo do processo e recomeça, transformando a última chance em próxima possibilidade. Como? Esse poema veio para lembrar que o caminho é passo a passo e paciência. Vamos recomeçar?

TUDO ZEN
INSISTA
Monja Coen

Resilientemente vivemos, sem desistir de nós mesmos.

Há momentos em que queremos ir embora, largar tudo, desistir.

É assim mesmo.

Não é feio. É natural. Mas também é natural insistir, dar continuidade.

Pode haver pausas, reencontros.

Pode refazer, reescrever.

Desistir jamais.

Ficou bonito? Ficou feio? Gostaram?

Aplaudiram? Vaiaram?

E você?

Quando deixamos de julgar e nos empolgamos na ação, agimos sem intenção de ganho ou de perda. Ação pela ação, sem intenção. Parece complicado, difícil? Não é, não.

Mais do que treinar. É formar.

Formatar a nós e às frases.

Algumas vezes nos fazemos bem pequenos, miúdos, enrolados como bebês no útero.

Depois há momentos em que somos gigantes e caminhamos a passos largos sobre cidades, montanhas, rios, mares.

Descobrimos que nossa altura atravessa a Via Láctea e nossa extensão é tão vasta que vai além dos berços de estrelas e de muitas galáxias.

Somos vida em movimento.
Somos atitude de respeito.

As hemácias nos ensinam a resiliência.
Quando parece que não vai dar, elas se encolhem e depois voltam a se expandir.
Há momentos na vida de recolhimento, de fazer-se pequenino e se dobrar, se encolher.
Há momentos de expansão, de abertura, de liberdade.

Somos todos livres para encolher e expandir, como o Universo, que é uno e plural sem que os opostos impeçam o movimento circular e ondular de ir, vir, sem nunca voltar.

Havia uma peça de teatro. A atriz teria sido Cacilda Becker?
O começo é sempre difícil, Cordélia Brasil. Vamos tentar outra vez?

Quando entrei no *Jornal da Tarde*, nos idos dos anos 1960, me fizeram reescrever cada texto mais de dez vezes. No dia seguinte, a aula: tudo saiu diferente. Talvez uma frase houvesse restado das que eu datilografara. Aprendizado.

Não fiquei triste ou sentida. Aprendi e continuo aprendendo.

Meu pai me ensinou a nadar em um açude cujo fundo era lamacento e desagradável de pisar.
Depois fomos para piscinas, e eu pulava, saltava e às vezes tinha a impressão de que poderia ficar respirando embaixo d'água.
Mas nunca aprendi a dar a voltinha no fim da raia.
Com mais de 60 anos, entrei numa academia de natação.

Certo dia, minha professora faltou e o substituto me perguntou: "O que você quer fazer hoje?"

"Quero aprender a voltinha no fim da raia."

Ele me orientou. Bebi água, virei e revirei, o pé não encostava na parede, escorregava.

Tentei e tentei. O professor nem acreditava. Fiquei hora e meia até conseguir.

Foi difícil, mas não desisti.

A memória corporal fica para sempre.

Como andar de bicicleta. No começo com rodinhas e depois sem apoio, subindo e descendo ladeiras.

O mesmo com a meditação, o zazen.

No começo tão difícil, cansativo, dolorosos eram os longos retiros.

A cada intervalo eu jurava que iria embora para nunca mais voltar.

Caminhava uns sete minutos e lá estava eu de novo, sentada.

Nunca mais deixei de praticar o zazen.

Em verdade, já nem sei se sou eu que pratico ou se é o zazen que me faz ser.

Não são quantas horas por dia, quantos retiros, quantos textos lidos, decorados, repetidos.

É o momento em que tudo se torna um. Já não se separa o som da audição, a imagem da visão, o pensamento da mente, o outro do eu.

Não desista de você.

Tudo é possível.

Vamos tentar outra vez?

Paciência é a ciência da paz.

Encontrar um estado de plenitude, de tranquilidade, mesmo em meio a grandes atrocidades.

Algumas vezes é até mais fácil encontrar o ponto de estabilidade quando tudo está confuso, torto, desequilibrado.

A gente respira suavemente.

Sente os pulmões se abrindo, o ar circulando por todo o corpo e saindo devagar, sem pressa, como se não tivesse mais nada a fazer.

Apenas respirar conscientemente.

Vamos tentar?

Sente-se, alongue a coluna e a cervical.

Alinhe seu corpo, seus chacras, sua vertebral.

Inspire e expire saboreando o respirar.

Afinal, quem respira pode me acompanhar – seja no verso, na prosa, na dança, no sono, no sonho, na utopia.

Respire comigo, respire.

Jogue fora o ar roto, o coração partido, e aprenda a realinhar sua vida com a existência de tudo que foi, é e será.

Não desista.

Insista.

Viva.

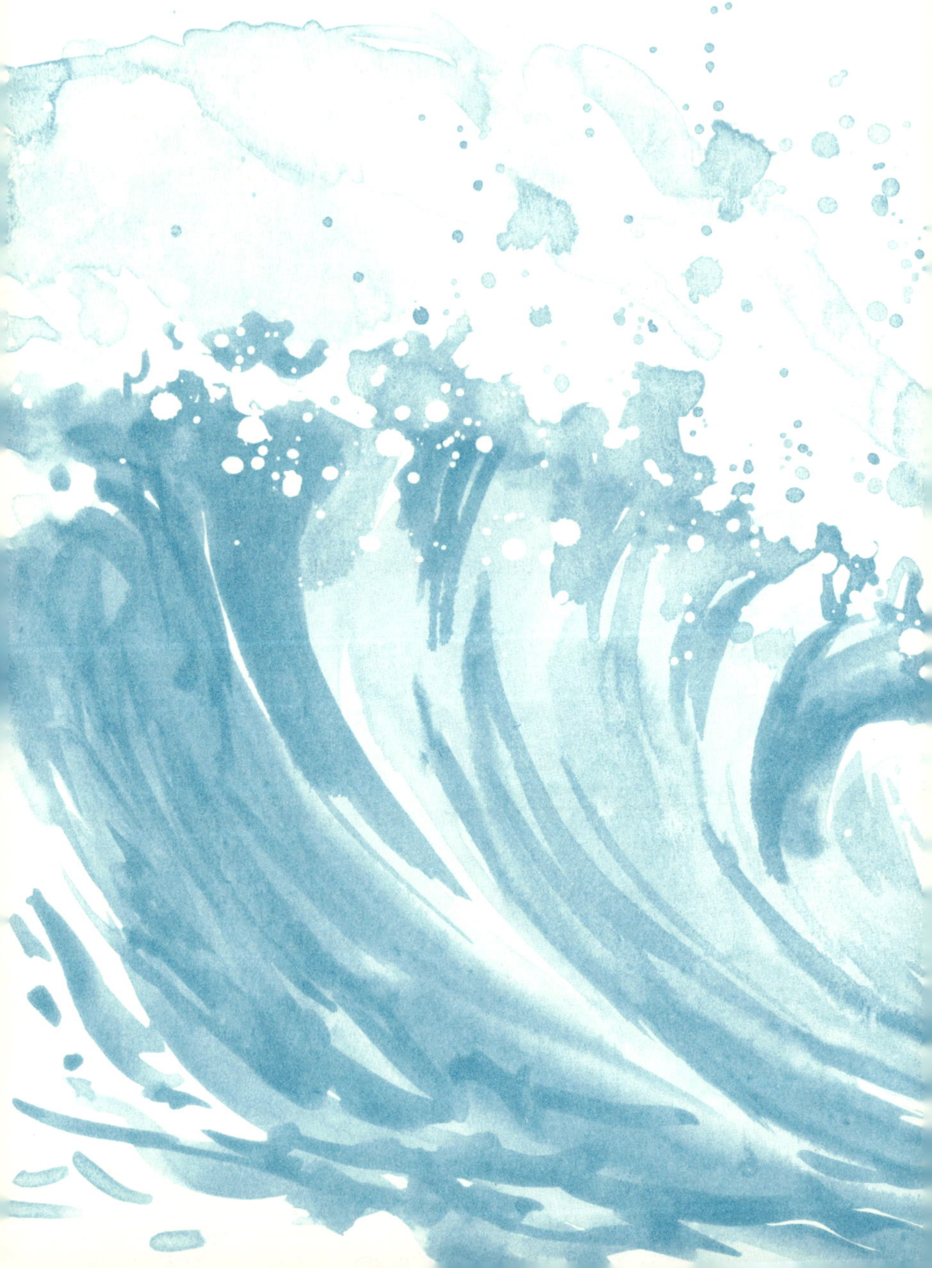

QUANTOS NÃOS CABEM DENTRO DE UM SIM?

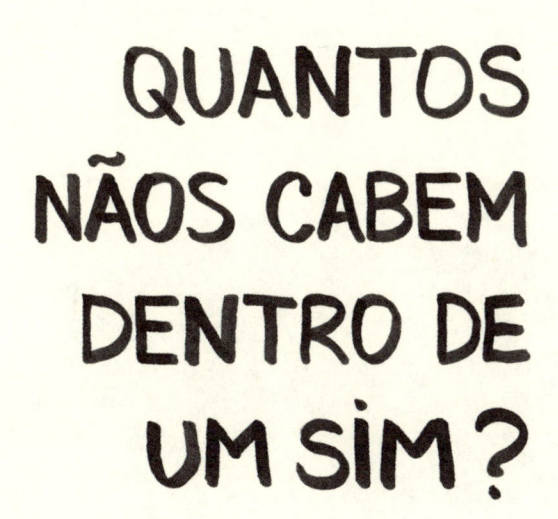

@allandiascastro

GRATIDÃO

"É preciso ser capaz de sair de si por um instante e entender que as pessoas só podem nos dar o que têm e só podem demonstrar o que são."

@monjacoen

EFEITO BUMERANGUE
Allan Dias Castro

Não esperar o reconhecimento dos outros
É um favor que se faz a si mesmo.
É muito bom ouvir um "obrigado",
Mas ninguém tem a obrigação
De ter o bom senso
Que a gente pensa que teria
Na mesma situação.

Quando puder fazer um favor a alguém,
Agradeça em vez de querer gratidão.
Por incrível que pareça,
A recompensa vem da própria ação.

É o que eu chamo de efeito bumerangue.

Toda vez que alguém diz:
"Depois de tudo que eu fiz
Nem de agradecer você fez questão",
Parece que o agradecimento é só o que motiva.
E quando a gente manda expectativa,
Pode receber de volta frustração.

Não faz sentido falar:
"Eu te fiz um favor, agora você tem que pagar",
Porque gentileza não se cobra.
Bom dia a gente ganha quando dá.

Quem oferece algo bom,
Mas não espera ganhar,
Não perde por esperar.
Porque vai voltar.

Sem alarde, sem anúncio,
Não precisar gritar para o mundo
Quanto ajuda os outros
Fala muito de quem você é.

Quem aprendeu a dar o que quer
É o que mais valoriza o cuidado
De quem está do seu lado
Para o que der e vier.

Ao encontrar alguém que mereça,
Repita o gesto que gostaria de ter recebido.
Simplesmente agradeça
E sinta-se agradecido.

* * *

"BOM DIA A GENTE GANHA QUANDO DÁ." Essa frase surgiu de um comentário que fiz a um amigo, quando percebi que muitas vezes fiquei "no vácuo" ao agradecer ou cumprimentar as pessoas na rua. É claro que foi mais uma constatação do que uma cobrança, e como eu insistia nas tentativas de uma troca mesmo sem retorno, nós rimos imaginando os que viam de longe e talvez pensassem que eu havia enlouquecido por estar "falando sozinho". Lembro que cheguei em casa e guardei a frase inicial no meu bloco de ideias porque acabou não encaixando no que escrevi em seguida:

Lá vai o maluco falando bom dia,
Dizendo obrigado, pedindo licença.
Dizem que foi de nascença,
Dizem que enlouqueceu.
Mas se educação é doença,
Só dá em quem recebeu.

Esses versos acabaram virando uma letra de música, mas o trecho "só dá em quem recebeu" se desdobrou em outro poema e me trouxe a expressão "efeito bumerangue". Sim, minha escrita às vezes é feita de retalhos de diálogos e arquivos de associações desconexas. Não fico tentando entender, apenas agradeço pelas vezes que algo faz sentido e boto no papel.

Foi assim quando busquei a frase do "bom dia" esquecida na gaveta e montei o novo quebra-cabeça, agora com o objetivo de falar da expectativa em torno da palavra "gratidão", quase como se fosse uma obrigatoriedade ou algo que se deva cobrar. Desde uma simples saudação até as mais generosas doações, qual a real intenção por trás de cada gesto?

Às vezes, a impressão é de que vivemos presos à busca pelo reconhecimento, como se estivéssemos dentro de um elevador com aquela placa "Sorria, você está sendo filmado" tirando automaticamente nossa naturalidade. Mas só quando desligamos essa câmera de vigilância voltada à recompensa, ficamos livres para perceber que só o gesto já se basta.

TUDO ZEN
AGRADEÇA
Monja Coen

Certa vez minha superiora no mosteiro feminino de Nagoya nos contou uma história sobre a verdadeira doação.

Antes de sair para uma viagem ao exterior, uma de suas amigas monjas pediu que levasse para ela papéis de dobradura, pois ela gostava muito de fazer bichinhos de papel.

Durante a viagem, minha superiora procurou por toda parte os papéis utilizáveis em dobraduras, mas nada encontrava. Finalmente, depois de muito andar, numa lojinha pequena, num cantinho abandonado, viu papeizinhos coloridos que poderiam ser dobrados.

Quando voltou ao Japão, aguardou com alegria a visita de sua amiga.

Depois dos cumprimentos, entregou a ela os papéis que lhe deram tanto trabalho achar. A amiga, sorrindo, respondeu:

"Ah! Vou doar esses papéis para a Mariko-san."

Minha mestra não disse nada, mas ficou furiosa.

Como podia ela, sem nem mesmo agradecer, dizer que iria dar o presente a outra pessoa?

No momento em que assim pensou, pela primeira vez compreendeu que não estava dando de verdade. Deu, mas queria o agradecimento.

Deu, mas queria que a pessoa usasse como ela queria que fosse usado.

Monja desde criança, Aoyama Roshi pôde perceber que não tinha sido capaz de dar de verdade. Sorriu envergonhada de si mesma.

Muitos de nós nem percebemos que queremos um retorno grato, um sorriso, um gesto, um olhar, uma palavra.

Se damos um quadro para alguém, depois visitamos a casa dessa pessoa e procuramos pelo quadro. Se não o encontramos, ficamos magoados. Isso não é dar de verdade. Quando damos algo – um bom-dia, com licença, por favor –, por que esperar retorno?

Cada pessoa se manifesta de acordo com a formação que teve.

Há sempre tanto a aprender quando somos capazes de apreciar até mesmo o grosseirão que por medo de ser macio e terno põe banca de valentão.

Aprender sobre si mesma, criatura humana, frágil e poderosa. Capaz de grandes arroubos solidários e ações egoicas vergonhosas. Qual sua escolha?

Certa feita, no mosteiro, minha discípula foi nomeada chefe da cozinha.

Cargo importante. De manhã, viu um grupo de monjas ajoelhadas na porta da sala principal separando o arroz. Haviam aberto vários sacos de arroz e espalhado os grãos sobre uma esteira coberta por papéis pardos. Ficou furiosa. Ninguém a havia consultado. Sentiu-se afrontada e, tremendo, foi falar com nossa superiora. Depois de explicar o que acontecera, esperava que a superiora fosse ao local dar uma bronca nas outras monjas. Entretanto, ela olhou bem em seus olhos e disse:

"Você se lembrou de agradecer a elas?"

Algumas vezes temos mesmo que agradecer até a grosseria, o passar por cima, a desconsideração, o insulto e o tormento.

Isso era tudo que aquelas pessoas tinham para dar.

Não é preciso ser monja treinada em mosteiro sagrado do fim do mundo. É preciso ser capaz de sair de si por um instante e entender que as pessoas só podem nos dar o que têm e só podem demonstrar o que são. Mas, lembre-se, nada é permanente e fixo.

Tudo está fluindo e se transformando.

Se você estiver com o coração puro, não ficará ofendido e continuará querendo bem até a quem não lhe quer bem.

Quem sabe, de repente, por você manifestar a mente de compaixão, plena de sabedoria, irá contagiando o mundo de beleza, de bondade e de poesia.

CARTA ABERTA À VIDA
Allan Dias Castro

Leva-se meses para nascer,
E às vezes uma vida inteira para se sentir vivo.
A gente acaba ficando tão competitivo
Que vive com medo de perder.
Mas vai ser de si que vai ter vencido
Aquele que tiver perdido
O medo de viver.

Sim, você está vivo.
Já é um belo motivo pra agradecer.

Só isso já faz o dia melhorar,
Mas é tão simples que a gente esquece.
Quem espera passar dessa pra melhor
Só quando sua hora chegar
Já perdeu por esperar.

E espera reconhecimento de quem nem o conhece,
Espera a rapidez de um amor expresso
Sem dar o tempo de que o outro se expresse.
Espera agradar pra receber
E recebe, mas nunca agradece.

Todos os dias, a vida nos dá uma oportunidade,
Dizendo: "Sejam bem-vindos."
Alguns não escutam porque estão sempre pedindo.
Mais do que uma *hashtag* sem sentido,
A gratidão é um sentimento.

Aquele que sorri por se sentir vivo
Fez do momento o seu endereço.
Sem esperar já encontrou o seu lugar.
Aprendeu a ser feliz e agradecer – só por estar.

Todos os dias a vida nos dá uma oportunidade.
É simples, mas não esqueça:
Agradeça.

* * *

VIVI A EXPERIÊNCIA DE ME TORNAR PAI poucos meses depois de ter perdido o meu. Hoje, a presença da minha filha me torna completo, mesmo sem ser compensatória, ou seja, eu entendi que ninguém pode substituir ninguém.

Eu tenho um poema no livro *Voz ao verbo* chamado "Carta aberta à dona Morte", em que digo que nenhum problema é maior do que a vida e, quando a gente segue em frente, a tristeza morre antes mesmo de a morte nos encontrar. Para botar em prática esse tal "seguir em frente", nas primeiras semanas sem meu pai, eu saía diariamente para correr na beira da praia, sempre muito cedo, para evitar encontrar pessoas na rua. Eu queria estar sozinho para abandonar o sentimento de solidão. No trajeto, eu revisitava momentos e chorava, ria, cantava alto, buscava acelerar para que a exaustão física superasse a emocional. Era como se eu tentasse me distanciar daquela minha versão cheia de mágoas pelas circunstâncias inevitáveis da vida para poder encarar as boas lembranças como uma visita de quem já partiu.

A saudade é presente e constante, mas o certo é que o homem que me tornei ao ser pai já não é o mesmo filho que fui no passado. Por isso, a cada passo, fui me reaproximando da sensação de estar grato por tudo que vivi, mas também por simplesmente estar vivo. Assim, eu me inspirei para escrever essa carta aberta – agora à vida – para agradecer não só pelas boas memórias que tive com meu pai, mas, principalmente, pela oportunidade que tenho de criar novas, todos os dias, com minha filha.

TUDO ZEN

VIVO

Monja Coen

Em meio à pandemia, muitas mortes, muitas dores, sufocando de tristeza e falta de ar, leitos ocupados, equipes de saúde exaustas, vacinas atrasadas e talvez ineficientes frente às novas cepas do coronavírus.

Saí pela porta da cozinha e, no pequeno espaço do quintal, olhei para o céu azul. Nuvens brancas. Que sensação boa estar viva, poder caminhar, poder ver o azul e o branco, o verde das folhas da mangueira, o telhado avermelhado. De repente, tudo me fez sentir o prazer de viver, sabendo que vou morrer.

Quando? Não sei nem quero saber.
No momento estou vivendo. Na vida, vivemos.
Meu velho mestre, um antigo Buda, repetia sempre essas duas frases: "Na vida, vivemos. Na morte, morremos."
Ele estava dando uma de suas últimas palestras, na cidade de Sapporo, na província de Hokkaido, no Japão.

Alguns meses depois, visitei-o em seu templo. Deitado numa cama alta, preparava-se para ir ao hospital de pacientes terminais no dia seguinte. Levei cogumelos especiais para ele. Deixaram-me segurando sua mão, massageando de leve aqueles dedos longos e brancos, muito brancos.

Ele adormeceu. Nesse momento, fiz meu voto de levar adiante seus ensinamentos. Sua vida não teria sido em vão. Deixou muitos discípulos e discípulas, foi um grande monge, um grande mestre, um ser desperto.

Talvez a maior gratidão que possamos demonstrar esteja além das palavras e dos gestos formais, mas no compromisso de jamais desistir em dar continuidade a uma tradição, a um ensinamento.

Por isso o próprio Buda histórico, pouco antes de morrer, disse a seus discípulos:
"Não se lamentem! Tudo que começa inevitavelmente termina. Não é meu corpo que vocês amam, mas os ensinamentos que transmiti. Façam dos ensinamentos o seu mestre, e eu viverei para sempre."

Buda vive para sempre em cada uma, cada um de nós que se torna herdeira ou herdeiro de seus ensinamentos. Assim como todos os grandes líderes espirituais. Da mesma maneira nas artes, na ciência, na filosofia. Levamos adiante a vida em nós. Gratidão profunda por todas as pessoas que nos permitem acessar o Caminho do Despertar.

Allan de filho virou pai. Mas é a filha que faz dele um pai, como ele fez seu pai e foi feito por ele. O pai é jovem e a filha é velha. Sim, ela carrega em si todas as vidas anteriores à dela e mais a sua. Ela ensina a mãe e o pai a cumprirem seus papéis. De vez em quando, troca de lugar, todos riem, a menina brincando de mamãe, brincando de papai. Por que as crianças brincam?

A tristeza da saudade se transforma na certeza de que estamos dando continuidade ao ciclo da existência, e nosso DNA agradece que possamos confiar e levar adiante toda a humanidade.

"Gracias a la vida que me ha dado tanto."

AGRADEÇO AO SOL,
ACEITO A CHUVA.
APRENDI A
AGRADECER MUITO
ANTES DE PEDIR.

ACEITO O SOL,
AGRADEÇO À CHUVA.
SOU FELIZ COM O QUE
TENHO, NÃO SÓ COM
O QUE ESTÁ POR VIR.

@allandiascastro

RAIVA

"Reconhecer nossos vários aspectos e conviver com eles é necessário para não sermos controlados pela raiva."

@monjacoen

ÁRVORES
Allan Dias Castro

Quanto tempo dura a raiva que você tem?
Lembre-se que enquanto ela durou,
A raiva foi sua, não de quem a causou.

Ter raiva de alguém é guardar algo do outro em si.
Eu sei que tem coisa difícil de engolir
Até a gente perceber que os desaforos dos outros
Também são deles, e é com eles que vão ficar
Porque para minha casa eu não vou mais levar.

Quantas vezes eu devolvi a grosseria
Para vencer a discussão,
Mas diante do espelho me sentia derrotado
Por ter perdido a razão?

É como se a gente fosse uma árvore
Que se alimenta do próprio fruto,
Mas também é responsável pela sombra
Que projeta diante da luz do outro.
Hoje em dia o meu ciclo é assim:
Eu só recebo o que daria para mim.

Por isso, estou aprendendo
A supostamente perder por um momento
Para certamente vencer o arrependimento.

Eu sou aquele que esfria a cabeça
E percebe que não devia ter falado,
Pois sabe que a melhor maneira de encerrar uma briga
É não ter nem começado.

Para não ficar abraçado ao passado
Por não ter dado o braço a torcer,
Chega uma idade em que querer ser dono da verdade
É não ter amadurecido
E só ter escolhido envelhecer.

Estar certo não é ter que provar que o outro está errado.
Pra mim ainda é complicado,
Mas a cada briga eu percebia
Que essa tal de valentia
É questão de inteligência:
Enquanto o valente se debatia,
Ensinava paciência.

Aquele que nos joga pedra está tentando agredir
Para dividir a ferida que carrega.
Quanto mais a gente entende isso,
Mais se cura da própria dor.

É isso: aquele que não devolve na mesma moeda
É porque conhece o próprio valor.

* * *

TODA VEZ QUE ESTOU COM RAIVA e o primeiro impulso é descontá-la em algo ou alguém que não tem nada a ver com o ocorrido, procuro me lembrar da minha responsabilidade em exercitar a calma. Com o tempo, percebi que essa válvula de escape, quando apontada para o outro, tem a mira voltada para o arrependimento, pois certamente a culpa virá me visitar quando a consciência me fizer voltar à razão. É como se eu acumulasse problemas por ter escolhido a forma errada de resolvê-los: machucando o outro para dividir minha própria ferida.

As pessoas que perdem a cabeça regularmente são grandes professoras para quem busca manter a paciência. O exercício é aprender a não repetir suas atitudes, como quem percebe a incoerência de gritar para pedir silêncio. Mas eu passei grande parte da minha vida acreditando que não poderia levar desaforo para casa. "Não arrega!" "Vai pra cima!" "Começou, termina!" E futuramente, o que eu passarei para a minha filha sobre brigas? É melhor nem começar. Afinal, a raiva que o outro tem é dele.

Para a nossa vida, levaremos apenas o constante desafio de respeitar as dores alheias, nos curar das nossas e manter sempre a plena consciência do nosso valor. Fácil? Ainda não. Espero que com o tempo essa postura se torne mais enraizada pelo fato de eu estar tentando não apenas envelhecer, mas também amadurecer. Sem dúvida, conviver com um bebê hoje em dia tem me ajudado muito a entender minhas emoções. Eu pude perceber que tentar acalmar uma criança passa primeiramente por me manter calmo. É o exemplo que minha filha vai absorver, por isso eu tento permanecer no estado ao qual pretendo ajudá-la a retornar.

A inspiração deste poema foi justamente a sugestão de buscarmos nos alimentar do que oferecemos, cada um a seu tempo, entre luzes e sombras, sendo fruto e semente dos nossos próprios ciclos.

TUDO ZEN

LEMBRE-SE QUE TUDO PASSA

Monja Coen

A raiva não é bonita nem feia. É um sentimento forte que pode levar à morte. Pode matar alguém, pode fazer morrer quem matou. A raiva pode ferir e desferir golpes terríveis, palavras amargas e duras, gestos e pensamentos.

Olhos em brasa, como se facas deles saíssem.

Há poucos minutos era um olhar de amor.

Bastou um telefonema, um gesto, um olhar distraído e a raiva adentrou a cena e se tornou a atriz principal.

De repente a ternura se esconde assustada, o amor fica atrás da porta e a raiva descabelada grita, esperneia, ameaça.

Entretanto, quando somos capazes de a reconhecer assim, frágil e fraca, podemos chamar nossa raiva para perto e afagá-la docemente.

No colinho da gente, a raiva fica pequena como um bebezinho.

Cantamos uma canção de ninar e, sorrindo, a deitamos no seu bercinho.

Não adianta negar, fingir que não sente raiva.

Faz parte do pacote *ser humano*.

Há de tudo nesse saco de pele.

Reconhecer nossos vários aspectos e conviver com eles é necessário para não sermos controlados pela raiva.

Respiração consciente.

Raiva enrubesce, a respiração fica curta e alta.
Inspire profundamente.
Reconheça a raiva.
Expire devagar e longamente.
O coração vai retomando a seu batimento mais lento.

Então pense, verifique, investigue, observe.
Tudo isso não leva mais do que alguns segundos breves.
O que provocou a raiva? O que acordou a bichinha?
Foi um olhar? Um gesto? Uma palavra? Uma situação? Um comentário?

Sorria de você mesmo. Ainda tão frágil e pequeno. Um papel que voou, uma traição, uma mentira, e você se vê preso na teia da indignação. De repente todo o seu sistema se desregula e você já nem se dá conta do tom de voz mais alto e do sangue subindo rápido à cabeça.

Relaxe e respire.
Pense.
Lembre-se que tudo passa.

Mais vale criar harmonia do que ganhar uma discussão.
Em vez de discutir ou debater, podemos dialogar, conversar e nos entender.

Não queira que o outro seja como você quer que ele seja.
Não se acomode com seus erros e faltas. Corrija-se e aprecie cada instante da vida.

Há pessoas que se tornam nossos mestres de paciência.
Respire.

Uma vez pedi a um discípulo que fosse trabalhar na cozinha com uma pessoa muito brava, sempre com raiva de tudo e de todos. E a raiva é contagiante. Ele, assustado, me pediu para não ir para a cozinha e eu disse a ele: "Vá e respire a raiva."

Pois ao final do dia ele me veio falar.
"Monja, nunca respirei tanto sem sair do mesmo lugar."
Entretanto não houve briga nem atrito.
Só o trabalho do ar, entrando e saindo, enquanto ela falava, empurrava, reclamava.
A comida foi mais saudável. É possível, sim, lidar com a raiva de forma que ela não nos faça mal.

Não engula sapo nem se cale.
Seja capaz de falar sem se enraivecer.
Deixe a raiva ser a alavanca para a transformação do mundo.
A indignação deve nos levar a procurar meios hábeis para modificar o que está errado, em falta.
Não devemos esconder a raiva, engolir em seco, mas senti-la e identificá-la. Batimentos cardíacos apressados, respiração pulmonar alta. Reconheça: a raiva está presente. Um dos sentimentos, uma das emoções humanas.
Respire profundamente. Reflita e saiba usar essa energia para o bem, sem a esconder e sem se deixar controlar por ela.
Sinta a sua respiração, perceba seus batimentos cardíacos, procure as causas, a origem, e encontre os meios hábeis para transformar.
Precisamos nos manifestar, sim. Não engolir sapos, não fingir que está tudo bem.
Mas, ao mesmo tempo, as manifestações devem ser inteli-

gentes, compassivas, sem agressividade, sem ódio, sem rancores. Não é fácil, mas é possível. Basta um pouco de treino.

Assim podemos transformar a realidade pelo afeto, pela inclusão, pelo respeito, pela confiança, melhorando a capacitação de todos para o bem de todos. A isso chamo de despertar.

Como escreve o Allan, não leve desaforo para casa.
Deixe o desaforo na boca de quem o fez.
Você sabe quem você é?
Quem conhece a si mesmo em profundidade, intimidade, não se sente ofendido nem enraivecido se alguém fala a verdade ou uma mentira. Nem precisa revidar. Pode perceber que a compreensão do outro não é correta e, quando possível, agradecer por haver revelado o seu próprio retrato.

CALMARIA
Allan Dias Castro

Se decepcionar com alguém,
Por incrível que pareça, pode ter um lado bom.
Nem que seja não estar mais
Do lado de quem não mereça.
Levantar a cabeça depois de uma frustração
É reaprender a dizer não
Para aceitar que mesmo que o outro não mude
Você não vai continuar igual.
Seja bem-vinda, calmaria.
Já passou meu temporal.

Cada um com suas escolhas,
Eu escolhi a sinceridade.
Meus momentos de fraqueza?
Nunca foram novidade.
A força da personalidade de alguém
Está em como a pessoa reage
Diante do nosso momento de vulnerabilidade.

Mas é preciso entender que evitar um novo relacionamento
Por medo de ser abandonado novamente
É não perceber que já está sozinho no presente.
Sentir-se vivo não é deixar que as lembranças do passado
Nos façam esquecer de olhar pra frente.

Quanto mais a gente se abre com o outro,
Mais conhece quem ele é de verdade.
Sem ressentimentos, bons ventos te façam companhia.
Já me afastei da tempestade,
Respeite a minha calmaria.

* * *

O SENTIMENTO DE RAIVA TEM O AMOR (muitas vezes próprio) como cura. Esse autocuidado custa a voltar depois de uma decepção, em geral por nos sentirmos culpados pelos atos dos outros. "Eu deveria ter dado mais de mim" ou "eu poderia continuar relevando" são apenas alguns dos tantos exemplos do que passa pela cabeça de quem insiste em continuar procurando onde nunca teve aquilo que sempre quis.

O assunto relacionamento sempre foi pauta lá em casa. Eu tenho três irmãs, e desde cedo tivemos abertura para trocar ideias sobre tudo. Essa sorte de ter convivido diariamente com mulheres tão diferentes foi algo que me ensinou muito. Talvez seja por essa vivência familiar que muitas amigas adquiriram o costume de dividir suas experiências comigo. Por não seguir conselhos, também não tenho a pretensão de dá-los a ninguém. Mas uma simples mudança é capaz de quebrar antigos círculos viciosos: parar de buscar o mesmo padrão em pessoas diferentes. É só perceber que as histórias são sempre parecidas, bem como os motivos pelos quais acabam.

Não repetir atitudes buscando resultados distintos é entender que a gente não escolhe se machucar, mas pode optar por aprender com a dor. O primeiro impulso é se fechar para tudo e todos. Só que, uma vez curado dos sentimentos negativos que carregava por alguém que lhe fez mal, a sensação de liberdade traz a certeza de que você não precisa de ninguém ao seu lado para ser feliz e também lhe garante o direito de escolha.

    Depois de reconquistar a sua paz, reaprender a dizer não a tudo aquilo que não lhe cabe é sinal de que a voz da sua experiência, daqui para a frente, só diz respeito a você. Silenciam-se os gritos, afasta-se a falta de contato que havia virado rotina, transforma-se vazio em espaço. Sim, pode dar as boas-vindas à calmaria. Já passou seu temporal.

TUDO ZEN
DESILUSIONISMO
Monja Coen

Conheci um ser humano notável.

Doce, suave e forte.

Já com mais de 90 anos revelou a todos, certo dia:

"Estou criando uma nova religião chamada desilusionismo. Cada vez que você tiver uma desilusão, agradeça. Estará mais próximo da verdade."

Professor Hermógenes foi um dos pioneiros mestres do yoga no Brasil.

Deixou inúmeros legados.

Para mim deixou um olhar azul doce e suave, firme sem ser agressivo.

E esta mensagem suprema: "Cada desilusão nos coloca mais próximos da verdade."

Por que se iludiu? Por que não quis ver a verdade? Por que negou a sensação de estar sendo traído, enganado? Seria mais fácil fingir que tudo estava bem? Mesmo quando seus clientes foram embora? Mesmo quando sua noiva se afastou? Mesmo quando a conta no banco diminuía? Mesmo quando o olhar já não cruzava o seu? Mesmo quando a pandemia chegou e os hospitais ficaram lotados e os cemitérios repletos de novas covas?

Onde você estava que não viu ou não quis ver?

Teria sido medo de se perder? Teria sido incapacidade de lidar com tanta dor? Teria sido medo da solidão e da falta de poder? Onde você estava quando dizia que não era nada e estava tudo bem?

E agora, o que fazer? Reconstruir, refazer, restaurar a tessitura social rompida. Cerzir, pegar o fiozinho e ir juntando os pontos delicados.

Algo sempre aprendemos com a experiência de encontrar a verdade.

Ela sempre nos liberta de toda e qualquer maldade. É como é.

É verdade quando alguém está mentindo.

A mentira é uma verdade que se revela na face.

Parece que acende uma luzinha quando a pessoa que mente fala.

Só não vê quem não quer.

Quantas pessoas fingem que está tudo bem quando na verdade já se distanciaram tanto que o que as une é uma vaga memória de um tempo que foi bom?

O tempo passou. A relação mudou. E você quer procurar lá atrás onde foi que ficou a ternura? E o cuidado, teria se escondido no meio do matagal?

Cuidado de cuidar, de querer bem. Começando por você para poder cuidar e querer bem a alguém mais. Quem nunca recebeu afeto, amor, respeito, carinho nem sabe o que isso significa. É preciso paciência, persistência, resiliência. Aprende-se a amar, aprende-se a ser fiel, aprende-se a cuidar.

O ressentimento, a tristeza, a decepção andam de braços dados. Podemos desfazer esses laços e seguir adiante. Sem pensamento de vingança, de poder, de braço de ferro: "Vamos ver quem pode mais?" Geralmente quem assim pensa fere a coluna dorsal e fica machucado por sua própria incapacidade de seguir adiante. Segurar o passado e ter medo de sofrer é para quem não sabe que a vida é movimento e transformação.

Nada jamais se repete, a não ser a impermanência.

Ontem meu amigo, hoje não me cumprimenta. Vamos adiante. O mundo dá voltas. Da próxima vez, cuide melhor da relação para ela não se deteriorar.

Não é gato escaldado com medo de água fria.
A prudência surge da experiência.

A pessoa sábia lê os sinais no caminho.
Vamos aprender a ler os sinais para vivermos prudentemente livres?
Vem comigo.
Letras formam palavras. Gestos, atitudes demonstram sentimentos.
Tudo é transparente.
Basta olhar e ver.
Nada escondido.
Não tema. Viva com plenitude.
Nada jamais se repete. Cada instante, cada relacionamento é único.
Abra as mãos e elas estarão repletas de todo o Universo.

Não deixe o amor virar ódio nem a dor se tornar sofrimento.

Cultive a alegria, observe em profundidade, investigue as possibilidades, mas mantenha-se livre e forte, confiante e terno, como o pai que vive no filho, ambos abençoados por um espírito santo. Santo de saúde, sanidade, no amor que conduz à eternidade.

HOJE EM DIA
O MEU CICLO
É ASSIM:
EU SÓ RECEBO
O QUE DARIA
PARA MIM.

@allandiascastro

FELICIDADE

"Mais do que fotos e festas. Mais do que risos e abraços. Um sentir profundo que não precisa ser interrompido por qualquer comentário."

@monjacoen

O QUE O SILÊNCIO QUER DIZER

Allan Dias Castro

Fui à beira do abismo
E gritei: "Felicidade!"
Lá no fundo, na verdade,
Era dor o que eu sentia.

Enganei só a mim mesmo.
Tudo o que engoli calado
Recebi multiplicado:
O sentimento ecoaria.

Sim, o sentimento sempre fala mais alto.
Só ele difere amor-próprio de egoísmo,
Tempo de horário,
Valor de salário,
E mostra que o caminho de volta do abismo
É individual, mas não precisa ser solitário.

Por isso compartilhar felicidade
É lado a lado, é passo a passo,
E não significa gritar ao mundo que é feliz.
Às vezes, é em silêncio, num abraço
Que expressa toda a sua verdade,
Até aquilo que não diz.

Sim, o sentimento sempre fala mais alto.

* * *

DIZER QUE É FELIZ NEM SEMPRE significa estar sentindo felicidade. Este poema tem o objetivo de lembrar que não precisamos chegar às últimas consequências para perceber que ocultar o sentimento de vazio é fazer a dor ecoar no peito. Parar de querer provar aos outros que é feliz faz a gente olhar para si e finalmente perceber que a sinceridade é o caminho para reconhecermos o que nos machuca, retomarmos o passo e seguirmos em frente.

Sim, é preciso sair do buraco para plantar uma semente. E não há nada de errado em querer contar com outras pessoas para fazer o caminho de volta do abismo; afinal, quando começarmos a reencontrar os momentos de plena felicidade, vai ser ótimo ter alguém ao lado para compartilhar um abraço.

Eu me lembro de um dia muito feliz na minha vida, fruto de uma conquista profissional bem marcante que ocorreu no início da minha chegada ao Rio de Janeiro. Tive uma letra minha musicada por um compositor que admiro muito, e foi uma parceria e tanto. Meu peito estava explodindo de alegria quando saí do estúdio, eu precisava dividir aquela emoção com alguém que entendesse a dimensão daquilo para mim.

Nessa fase, minha esposa, Ana, ainda não havia se mudado para morar comigo. Meus parentes e amigos próximos estavam no Sul, e eu tinha feito poucos contatos. Decidi entrar em um restaurante para comemorar. Quando escolhi meu lugar, sentei-me à mesa sozinho e me veio à cabeça uma pergunta: "Poxa, onde estão aqueles meus cinco mil amigos do Facebook?" Na hora peguei meu bloco e escrevi esses versos, que mais tarde foram parar em outro poema:

*Eu troco cinco mil amigos
Por sua sinceridade.
Eu troco cinco amigos
Por uma boa amizade.*

    Pensei ainda em fazer uma postagem para contar nas redes o ocorrido, mas aos poucos a sensação de alegria foi se internalizando e fui percebendo que muitas vezes fiz *posts* não querendo dividir a felicidade, mas quase como um pedido de ajuda para, através da validação alheia, torná-la real.
    Quando o sentimento é verdadeiro, seja dor ou alegria, ele se sobressai às tentativas de ocultá-lo ou até mesmo de amplificá-lo, confundindo satisfação com carência. Naquele momento de comemoração solitária, a felicidade era tão real que me senti abraçado por ela e por todos aqueles que, ainda que à distância, me faziam companhia. Com essa percepção, gritei ao mundo a minha verdade em silêncio. Foi aí que eu percebi: o sentimento sempre fala mais alto.

TUDO ZEN

SILENCIE
Monja Coen

Os sentimentos mais profundos são quietos, silenciosos, íntimos.

Sem alarde. O coração acelera e sentimos o que há para ser sentido.

Mais do que fotos e festas. Mais do que risos e abraços. Um sentir profundo que não precisa ser interrompido por qualquer comentário.

Basta às vezes só estar junto, perto.

Contam os textos sagrados budistas que certa vez o Buda histórico foi até a base de uma montanha onde ele sempre transmitia ensinamentos. Muitas pessoas e seres imaginários se aglomeraram para ouvi-lo. Buda estava de boa, em um momento como o do Allan quando seu poema virou letra de música. Todo aquele povo o aguardava – os cinco mil do Facebook. Buda levantou uma flor, piscou o olho e sorriu. De toda aquela turma apenas Makakasho sorriu de volta e piscou. Nesse momento, Buda falou:

"Possuo o olho tesouro do verdadeiro Darma e a maravilhosa mente de Nirvana – agora a transmito a você, Makakasho."

Não havia nada a transmitir.

Makakasho sentiu o que o mestre sentia.

Quando não há mais ninguém, o seu eu menor se aquieta e

você se identifica com a música, com o poema, com o coração pulsando, com a mesa, o restaurante e o novo poema.

Inspiração é coisa difícil de se forçar.
Muitas vezes, antes de escrever, deixo os dedos livres tocando as teclas como se nem fossem parte de mim.
Algumas vezes saem espécies de poemas, outras vezes só letras.
Mas eu preciso soltar a mim mesma.
Deixar o som das teclas me tocar.
Vou lendo na tela as letras que, ao se juntarem, formam frases, pensamentos.
Quando fico sem saber, gostaria de ter alguém para ler em voz alta e decidir se presta ou se não presta.
Mas estou só.
Ouço a moto, o som dos pneus dos carros no asfalto.
A moto foi embora, os carros também passam.
Por alguns instantes há um som mais forte, depois vai diminuindo até sumir.
Sentimentos também.
A vida também.
Porém, se estiver sempre cercada de pessoas e sempre compartilhando nas redes sociais tudo o que ocorre, vou perder esses momentos de ouvir, de ver, sentir e viver com plenitude este instante de coexistência consciente.

Silencie.
Sem pensar e sem não pensar.
Por um breve instante, seja pura alegria.
Suave, tranquila, macia, doce, embalando o silêncio para que ele fique mais quieto e ajude a despertar.

TRANSBORDAR
Allan Dias Castro

Quem se incomoda com a felicidade do outro
Está procurando a sua no lugar errado.
Quem está do lado vai parecer sempre mais feliz
Para o pessimista que prefere ficar parado
Do que acreditar em uma direção.

Mudando esse ponto de vista,
Se vê que felicidade
É sempre uma conquista,
Nunca uma competição.

Todo sorriso aberto guarda em si algumas cicatrizes.
Por isso, respeitar a dor de alguém
É também dar valor aos seus momentos mais felizes.
Por trás de cada passo conquistado há uma longa
    caminhada.
Só você sabe quanto chorou pra que hoje as suas lágrimas
Tenham gosto de alma lavada.

A felicidade só chega para aquele que foi buscar.
Sim, os sorrisos estão no caminho,
Mas é preciso caminhar.

Então respeite e comemore cada conquista
Sua e do outro também.
Quando a felicidade traz a sensação de não caber em si,
Você percebe que ninguém é maior do que ninguém.

É como se fosse uma fonte que só seca se você não regar.
Não é porque os outros estão regando a deles que a sua vai secar.
Feliz daquele que sorri com a alegria do outro
Porque aprendeu a transbordar.

* * *

EU JÁ VI MINHA MÃE CHORAR DE FELICIDADE algumas vezes na vida. É claro que por outros motivos também, e talvez por isso eu tenha aprendido a importância de celebrarmos as lágrimas que se misturam a um largo sorriso. Divido dois desses momentos de alegria plena que presenciei com ela: o primeiro foi a conquista de sua adiada formatura, vinte anos após seu ingresso na faculdade de Direito. Minha mãe precisou parar de estudar quando decidiu mudar de cidade para que ela e meu pai conseguissem reverter a fase de falta de dinheiro em que se encontravam. Depois de algumas tentativas de retorno às aulas, sempre interrompidas pela necessidade do foco total no trabalho e na família, deixou o sonho do diploma outra vez em segundo plano.

Eu já tinha uns 15 anos quando a ouvi falar em voltar a estudar e resgatar aquele desejo empoeirado pelo tempo. Ela não imaginava quanto a sua decisão marcaria a minha vida. Ver alguém que você ama revertendo situações íntimas – como a vergonha que sentia pela diferença de idade em relação aos demais colegas de curso e o choro pelas notas que refletiam a rotina de quem só tem a madrugada para mergulhar nos livros – é um exemplo muito maior do que qualquer conselho sobre superação. Aos 45 anos, minha mãe se formou e pôde evoluir ainda mais na sua carreira jurídica. A imagem dela chegando em casa, às lágrimas, tendo finalmente em mãos a sua conquista em forma de certificado, e o som do seu choro abraçada aos quatro filhos no meio da sala lavam minha alma até hoje.

Um segundo momento em que tive o prazer de presenciar a felicidade da minha mãe foi quando, ao lado de minha tia, formamos um trio e partimos para uma viagem pela Europa. Minha mãe tinha o sonho de conhecer Paris, mas temia ter que deixar para uma outra vida, como dizia brincando. Era sempre uma desculpa como: "Eu agora já estou velha, antes era muito nova." Percebendo que não existe idade certa para ser feliz, concretizamos nossa chegada à Cidade Luz, e logo fomos rumo aos pontos turísticos.

Eis que, chegando à Torre Eiffel, quis registrar o momento. Quando comecei a filmar e perguntei como ela estava se sentindo, lá vieram as lágrimas salgando o seu sorriso. Perguntei o motivo apenas para ter o prazer de ouvi-la traduzir aquele sentimento, e sua resposta foi a seguinte: "Depois de tanto aperto que passamos, olha aonde nós chegamos." Rimos muito daquela declaração tão simbólica. Eu sabia que, para ela, chegar longe na vida ia bem além do sentido literal. Passava por trajetórias, conquistas e, claro, por lágrimas e sorrisos.

Acho bonito ver a sua satisfação também nas realizações dos filhos. Minha mãe, quando não é fonte de nossas alegrias, é quem sempre ajuda a regá-las. Até hoje, abraçá-la é chegar em casa depois de ter ganhado o mundo. Voltar para esse abraço e sentir as lágrimas encharcando os sorrisos, mais do que sentir felicidade, significa transbordar.

Para mim, este livro também expressa transbordamento. Poucos dias antes de escrever este texto, encontrei uma foto minha dando um abraço na Monja, na data em que tive o prazer de conhecê-la pessoalmente. Foi como reviver a admiração e o respeito traduzidos no momento em que nasceu em mim a ideia de uma parceria, que agora é real.

Enquanto escrevemos estas páginas, os abraços ainda estão de quarentena. Por isso, o meu desejo é que cada palavra aqui escrita abrace nossos leitores para que possamos transbordar juntos. E, assim que for possível, repetirei o gesto com a Monja para lhe agradecer a companhia neste projeto – abraçando, assim, de forma simbólica, todas as pessoas que tiverem acesso a este livro. Pelos tantos ensinamentos proporcionados através de cada troca, entre lágrimas e sorrisos, só agradeço.

TUDO ZEN

QUEM DESPERTA TRANSBORDA

Monja Coen

Sou órfã.

Mãe enterrada e pai cremado – conforme suas opções.

Sinto saudade e ao mesmo tempo os sinto em mim.

Nos gestos, nas palavras, nos pensamentos.

Para sempre vivem em mim. Como sentir saudade de mim mesma?

Ah! A gente sente.

Já não sou mais aquela moça ardente querendo provar ao mundo sua inteligência e habilidade. Onde ela ficou? No retrato em que mal me reconheço.

Magra de cabelos longos e saltos altos.

Foram tantos momentos e tantos personagens, como a época descabelada com mil colares na pele queimada de tanto sol.

Há fotos para não esquecer de tudo que já chorei e ri.

Bebi, fumei, casei, descasei, dei à luz uma menina linda e redonda. Estudei, me formei, fui trabalhar como jornalista, aprendi a escrever um pouco na redação do *Jornal da Tarde*. Depois fui embora outra vez.

Procurando Deus, eu me perdi de mim mesma e me reencontrei na luz que pairava no teto de uma sala em Londres. Viajei, senti saudade e culpa. Virei monja depois de olhar em profundidade para bem dentro de mim e transbordar de ternura e compreensão por toda a humanidade.

Cada momento de vida foi precioso e sagrado.

Mesmo os abusos, as traições, os prantos afogados nos travesseiros e atrás das portas, mamando em um paninho que nunca me deixava só.

Casei e deixei o paninho, com vergonha de o marido ouvir o som da minha língua na maciez do tecido de algodão.

Fui saindo de mim mesma, como a cobra que troca a pele.

Mudei roupas, sapatos, usei luvas de pelica até os cotovelos. Pintei os cabelos, maquiei o rosto como uma atriz de cinema. Aulas particulares.

Havia curso de parto sem dor. Acreditei. Na hora da dor xinguei todas as que me disseram que não doía. Mentira. Mal conseguia controlar a tal respiração consciente.

Hoje dou aula, ensino todos a respirar conscientemente.

Que interessante.

Doeu, nasceu, cresceu, fui embora, chorei, vomitei, voltei e continuo encontrando e abraçando, sorrindo e me distanciando. Numa saudade eterna de querer estar perto sem poder.

Continuo vivendo, indo e vindo, pensando e não pensando, escrevendo e sendo escrita por uma vontade infinita de transmitir, compartilhar os achados extraordinários do encontro com Mestre Dogen.

Místico realista do século XIII, deixou poesia que Fernando Pessoa escreveria, textos de James Joyce, pensamentos de Nietzsche e Schopenhauer. Uma mistura de tanta gente que veio depois dele sem nunca o ter conhecido.

Talvez seja esse o nosso destino, propósito, sentido?

Passar adiante a mensagem do DNA?

Do que produzimos, pensamos, sentimos, filosofamos?

E transbordar, ir além das margens, incluí-las na nossa vida e na nossa linguagem.

Sentir é ser.

Ser é *interser*.

Felicidade é conhecer Allan, ouvi-lo declamar seus poemas, ler e receber – de alguém que nem sabe que estamos juntos neste livro – um vídeo dele, tão forte, tão vivo. Vejo seu batimento cardíaco na sua garganta. E me encanta saber que existe alguém assim, capaz de ver e de ouvir, de transbordar e se tornar o nosso coração. O grande, imenso coração onde cabem todos os sentimentos.

A grande e imensa mente capaz de tudo compreender e transformar em poesia, em vida, em verdade e na vontade de que todos possam despertar.

Quem desperta transborda.

Já não há mais bordas, nem dentro nem fora...

Setenta e três anos.

Vem conosco.

Vem encontrar a felicidade.

Vem transbordar de ternura.

Investigue, pense, procure, sinta e demonstre ao mundo que você está à altura de ser feliz.

Depois passa.

Passa adiante. Repassa.

Podemos encontrar a nós mesmos logo ali na esquina.

Mãos em prece.

FELIZ AQUELE QUE SORRI COM A ALEGRIA DO OUTRO PORQUE APRENDEU A TRANSBORDAR.

@allandiascastro

Agradecimentos

Agradeço à Monja Coen pela parceria e à Editora Sextante por ter dado vida ao nosso encontro através deste livro.

Agradeço ao professor Hermógenes, a Thiago Leão, Carlos Henrique Viard Jr., Marcia Isidoro, Vladimir Hersen da Costa, Mariana Dutra, Manoela Dutra, Vilson Dutra, Sônia Dutra, Carmen Dias Castro, Aline Dias Castro, Lorenzo Castro da Costa, Caroline Castro Noskoski, Cristiano Noskoski, Helena Castro Noskoski, Aline Castro Noskoski.

Agradeço sempre aos meus pais, aos demais familiares e aos muitos amigos.

Agradeço de todo o coração à minha esposa, Ana, e à minha filha, Serena.

— **Allan Dias Castro**

Agradeço a meu pai, minha mãe e minha irmã mais velha, que me ensinaram a refletir, estudar e questionar a existência.

Agradeço a minha filha, neta e bisnetos que me ensinam a amar.

Agradeço a todos os poetas e poetisas, que sempre me inspiraram, quer nos livros, nos teatros, nas festas onde eu e minha mãe declamávamos, quer nos shows de rock'n'roll – inspirações de minha adolescência e início da fase adulta.

Agradeço a Nietzsche e outros filósofos, que me fizeram pensar e mudar. Agradeço às Upanishads, aos Vedas, à Bhagavad Gita e a outros textos antigos aos quais recorri à procura de mim mesma.

Agradeço a todos os autores e autoras que continuam me inspirando a continuar a procura e a todas as editoras que continuam imprimindo livros e acreditando na leitura como um meio de educar e modificar mentes humanas para se tornarem capazes de transformar o mundo.

Agradeço a todos os praticantes do Zen Center of Los Angeles, onde descobri a meditação e o sagrado.

Agradeço a todos os monges e monjas ligados ao Mosteiro Feminino de Nagoya, onde pude fazer meu noviciado e me formar professora Zen.

Agradeço aos mestres e mestras Zen que encontrei nos Estados Unidos e mais tarde no Japão.

Gratidão profunda aos dois fundadores da ordem Soto no Japão, Mestre Eihei Dogen e seu neto, discípulo Mestre Keizan Jokin, dos séculos XIII e XIV.

Agradeço à primeira monja histórica, tia e mãe adotiva de Xaquiamuni Buda – Mahaprajapati Daiosho.

E ao grande mestre fundador original Xaquiamuni Buda, que deixou seu castelo, seu filho, sua esposa, sua posição social, riquezas e confortos para se tornar um andarilho à procura do despertar.

Agradeço ao professor Hermógenes pelo yoga e pela herança depositada em seu neto – Thiago Leão, sua continuidade genética e sucessor em preservar e transmitir a tradição.

Agradeço ao meu parceiro Allan por sua arte e sensibilidade, por ser um caminhante como eu mesma.

Agradeço a todas as formas de vida que tornam possível a nossa existência aqui e agora.

Agradeço à Editora Sextante, a toda a equipe editorial e a todos da gráfica, que tornaram possível esta obra.

Agradeço a cada folha de papel – pedaços do povo de pé, as árvores. Agradeço às impressoras e seus operadores. Agradeço à tinta que imprime nossas palavras nestas folhas.

"Agradeço à vida que me tem dado tanto."

Que todos os seres possam ser felizes, encontrar a sabedoria e a compaixão e beneficiar todos os seres.

Que todos possam despertar.

Mãos em prece.

— **Monja Coen**

OS AUTORES

Allan Dias Castro
Poeta, escritor e compositor, Allan Dias Castro impacta milhões de pessoas diariamente com seus textos, músicas, palestras e livros publicados.

Gaúcho radicado no Rio de Janeiro, é formado em Comunicação Social pela ESPM-RS e cursou Escrita Criativa na Escola de Escritores de Barcelona. Em 2014, lançou seu primeiro livro, *O Zé-Ninguém* (Ibis Libris), e em 2019 publicou *Voz ao verbo*, pela Sextante, que entrou na lista de mais vendidos da *Veja* e do jornal *O Globo*.

Voz ao verbo teve origem no projeto homônimo de poesia falada na internet, cujos vídeos geraram enorme identificação com o público e ultrapassaram a marca de 100 milhões de visualizações nas redes sociais.

Monja Coen
Monja zen-budista brasileira, fundadora da Comunidade Zendo Brasil e autora best-seller, Monja Coen teve sua formação inicial em Los Angeles, nos Estados Unidos, e completou o mestrado no Mosteiro Feminino de Nagoya, no Japão, onde praticou como noviça e monja oficial por 12 anos.

Defensora da Cultura de Paz, seu estilo carismático conquista o público que frequenta suas palestras, seus cursos, retiros e práticas meditativas no Brasil e no mundo. Seus ensinamentos têm sido cada vez mais disseminados, inspirando a busca pela paz interior e uma vida com mais felicidade e apreciação.

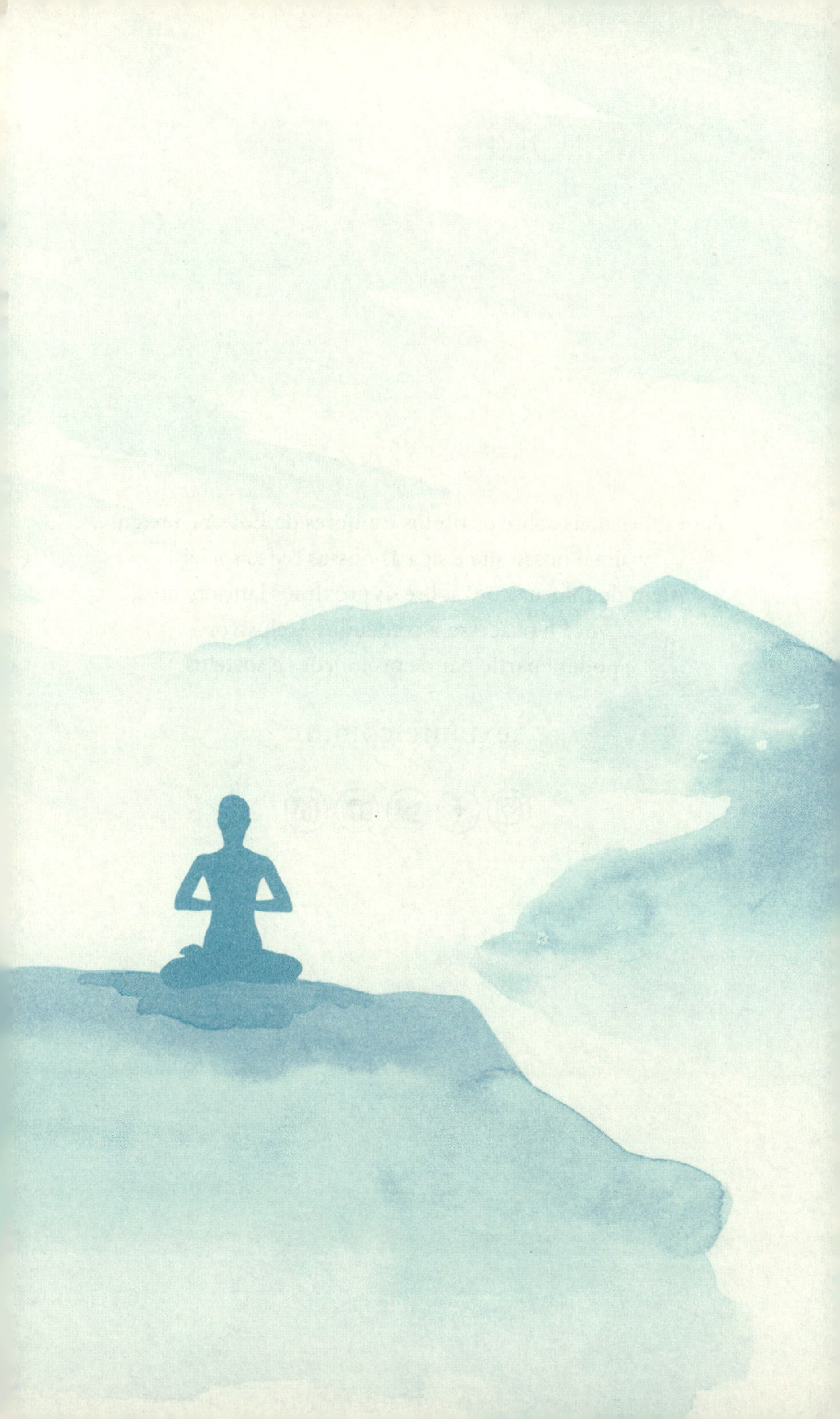

Para saber mais sobre os títulos e autores da Editora Sextante,
visite o nosso site e siga as nossas redes sociais.
Além de informações sobre os próximos lançamentos,
você terá acesso a conteúdos exclusivos
e poderá participar de promoções e sorteios.

sextante.com.br